꿈세권에 집을 짓다

오래된 동네,
젊은부부의 상가주택 마련기

행운의봄 · 봄이아빠 지음

PART 3
봄이 오나 봄

PART 4
아이도 자라고 나도 자라는 집

Story

우리 집은 경남 김해시 봉황동에 위치해 있어요.

봄이 머무는 따뜻한 집이었으면 하는 바람을 담아 '봄스테이'라고 이름을 붙였어요.

봉황동은 오래된 동네로 옛 금관가야의 중심지였어요.

왕궁터로 추정되는 곳이 있고, 신석기시대 유적지인 '회현리 패총'이 있어 개발이 제한된 곳이 꽤 있어요.

집을 지으려면 문화재 발굴이라는 큰 관문을 넘어야 해요.

그만큼 개발이 어려운 동네라 옛날 김해의 중심지였음에도 불구하고 점차 슬럼화되어 갔지요. 점집이 즐비하며 '신의 거리'라고 불린 적도 있답니다.

점점 낙후되어 가는 구도심을 살려야 한다는 목소리가 커졌어요.

그래서 도시 재생 지역으로 지정되었어요.

최근 오래된 건물에 레트로한 감성을 더한 상점이 많이 들어섰는데요.

과거와 현재가 공존하는 동네에 집을 지어 살고 있는

저희 부부 이야기 한번 들어보시겠어요?

©전원속의 내집

Prologue

인생을 바꾸려면 세 가지를 바꾸라는 말

AM 7:00

두 사람이 분주하게 움직인다. 아이는 아직 꿈나라에 있다.

"띠띠띠띠, 띠리리~."

현관문 번호키 소리와 함께 누군가 집 안으로 들어온다. 엄마다.

결혼하고 아이를 낳은 딸네 집에 엄마는 매일 아침 오신다. 같은 건물 아래층에 사시는 엄마는 아이의 어린이집 등하원을 맡아주신다. 아이는 우리가 퇴근할 때까지 2층 외할머니집에서 씻고, 저녁을 먹는다. 엄마 아빠가 오면 외할아버지께 어부바를 해달라고 조른다. 외할아버지 등에 업혀 3층으로 올라온다. 그 모습이 그렇게 행복해 보일 수 없다. 조부모의 사랑을 모르고 자란 나는, 아이의 그런 모습이 참 부럽다.

3대가 한 건물에서, 우리는 따로 또 같이 살아간다. 아이가 배려 깊은 사랑을 고루 받아서인지 정서가 안정적이다. 나도 남편도 걱정 없이 사회생활을 하고 있다. 부모님과 한 건물에 살기로 한 결정이 우리 모두에게 평안한 생활을 가져다주었다. 애초 우리 부부가 상가주택을 짓는다는 말에 이웃들은 '젊은 사람들이 참 대단하다'며 놀라운 표정을 지었고, 친척들은 '사서 고생한다, 주택은 아파트보다 추울 텐데 왜 굳이 집을 지으려고 하냐?'며 만류했다.

어떤 브랜드의 아파트인지, 몇 평인지, 근처에 어떤 학교가 있는지가 아닌 '우리에게 어떤 집이 필요한지'라는 의문에서 집짓기가 시작되었다. 주위 사람들이 뭐라고 하든지 우리는 집을 짓기로 했고, 뚝심 있게 밀고 나갔다. 중간에 포기하고 싶다는 생각이 들 정도로 힘든 고비도 있었지만 결국 집을 지었고, 그 집에 3년째 살고 있다.

2020년 7~9월 단독주택 거래량을 분석한 뉴스를 접했다. 지난해 같은 시기와 비교해 거래량이 40% 증가했다는 내용이었다. 특히 어린 자녀를 둔 가정에서 주택에 대한 관심이 높아졌다. 아이가 있는 집은 층간 소음에 민감하다. 아래 집에 피해를 줄까 봐 고가의 바닥 매트를 깔기도 한다. 거기에 공용 공간에 대한 불안감까지 더해지니 아파트의 매력도가 예전보다 떨어진 것 같았다.

여섯 살인 아이가 한 번씩 이런 말을 한다.

"아기였을 땐 정말 좋았는데. 마스크도 끼지 않았으니까. 그치, 엄마?"

코로나 때문에 힘들지 않은 사람이 어디 있겠느냐마는 어린 아이를 키우는 부모들은 더욱 그럴 것이다. 어린이집이나 유치원, 학교에 가지 못하고 집에서 온종일 지내는 시간은 큰 곤욕이다. 우리도 마찬가지였다. 엄마와 아빠는 일해야 하는데, 아이는 어린이집에 갈 수 없는 상황이었다. 다행히 집 안 곳곳이 놀이터라 밖에 나가지 않고도 힘든 시간을 잘 버틸 수 있었다. 아이는 할머니와 옥상에 올라가 블루베리와 토마토에 물을 주며 뛰어놀았다. 여름엔 옥상 수영장에서 물놀이하고, 집안 계단에 걸터앉아 그림책을 보았다. 그러다 지루해지면 4층 아이 방으로 올라가 트램폴린 위를 뛴다. 아랫집 걱정 없이 언제 어디서든 뛸 수 있는 게 주택의 가장 큰 장점이다. 3층 중정에는 모래놀이 공간이 있어 두꺼비집을 만들며 상상의 세계에 들어간다. 집 안 여기저기를 뛰어다니고 활동이 많다 보니 점심을 먹고 나면 이내 졸린다. 낮잠을 자고 일어나면 할머니를 따라 집 주변 청소에 나선다. 직접 청소하지 않아도 할머니가 쓰레기를 줍고 화단 나무들이 잘 있는지 살펴볼 때 아이도 따라서 모든 것을 관찰한다. 쓰레기를 버리는 것은 누군가를 힘들게 하는 행동이라는 것을 배우고, 나무는 저절로 크는 게 아니라 누군가의 관심과 정성으로 큰다는 것도 알게 된다. 밖에 나가지 않고도 지루하지 않은 매일을 보낼 수 있었던 건 아파트가 아닌 주택에 살기 때문이라고 확신한다.

주말이면 아파트에 사는 친구들이 집에 놀러 가도 되냐고 물을 때가 많다. 옥상에서 고기만 구워 먹어도 근사한 곳에 캠핑 나온 느낌이 들기 때문에 우리도 즐겁고 손님도 즐겁다. 앞으로도 코로나와 유사한 바이러스가 주기적으로 나타날 것이라고 하는데, 숨통 트이는 공간이 곳곳에 있는 주택에 살고 있어서 참 다행이라는 생각이 든다. 포스트 코로나 시대는 이전과 여러 면에서 다를 것이다. 주거 공간도 변화가 있으리라 생각한다.

집을 지어 살면 아이에게 좋다. 어른에게는 더 좋다. 집을 지으면 사람이 한 단계 성장한다. 그렇다면 어떻게 성장할 수 있을까?

30대가 되었다. 결혼하고 아이를 낳았다. 비슷한 연령대의 친구들이 가족들과 맛집을 찾아가고 주말마다 여행 다니며 욜로You Only Live Once : 미래를 위해 현재를 희생하기보다 현재를 즐기려는 사람들 라이프를 추구할 때 우리는 파이어Financial Independence, Retire Early : 경제적 자립을 통해 빠른 시기에 은퇴하려는 사람들족을 택했다. 가치 있는 곳에는 돈을 쓰되 낭비하지 않으려 했다. 노후를 준비하는 최선은 투자라고 생각해 부동산 투자 공부를 열심히 했다. 좋은 강의가 있으면 장거리를 마다하지 않고 찾아가 듣고 왔다. 어린 아기를 키우면서도 시간을 쪼개 책을 읽었다.

부동산 투자책을 읽으며 성공의 기본은 자기계발이라는 것을 알게 되었다. 나 자신부터 바로 세워야 무엇을 하든 성공한다는 것을 깨달았다. 그때부터 자기계발서를 탐독했다. 그러다 일본의 경제학자 오마에 겐이치를 알게 되었다. 그는 '인생을 바꾸려면 시간, 공간, 만나는 사람을 바꾸라'고 했다. 시간을 바꾸라는 말은 과거와 다른 방식의 행동을 하라는 것이고, 공간을 바꾸라는 것은 환경을 바꾸라는 의미이며, 만나는 사람을 바꾸라는 말은 새로운 사람을 사귀고 기회를 찾으라는 조언이다. 쉬운 방법인 것 같은데 좀처럼 세 가지가 바뀌지 않았다. 몇 년간 지지부진했던 우리가 집을 짓고 주택에 살며 놀랍게 성장했다. 시간, 공간, 사람 모두가 바뀐 덕분이다.

집을 지으려면 끊임없이 '내가 원하는 삶'이 무엇인지 고민해야 한다. 집은 삶을 담는 그릇이기 때문이다. 원하는 삶을 고민하는 과정에서 '나는 누구인지, 나는 무엇을 좋아하는 사람인지'와 같은 인간 존재의 가장 깊은 근원까지 파고들게 된다. 치열한 내면과의 만남이 나를 조금씩 성장시킨다. 집짓기는 일생일대 가장 큰 소비 활동이다. 의사 결정 과정이 모두 돈과 연결된다. 의사 결정에 날이 선다. 그런 수많은 결정 속에 판단력이 키워진다. 집 한 채가 완성되려면 100명 이상의 이해관계자가 얽힌다. 집을 짓는 동안 수많은 사람과 관계를 맺는다. 어떨 때는 순탄하게 잘 마무리되기도 하고, 때론 일이 꼬여 힘이 들기도 한다. 그 모든 과정을 슬기롭게 헤쳐나가야 집이 완성된다. 그러니 한 인간이 성장하지 않을 수 없다. 우리는 집을 짓고 입주한 것에 만족하지 않았다. 좋은 공간에서 다양한 시도를 했다. 잡지사에 우리 집을 소개하기도 했고, 공간대여 플랫폼을 통해 집을 대여해 보았다. 남편의 사업장으로 만든 1층 상가에서 갤러리를 운영하며 독서 모임, 부동산 스터디 모임 등도 하고 있다. 공간이 변하며 만나는 사람이 바뀌고 하루 24시간이 바뀌었다. 그러면서 새로운 꿈이 생겼다.

고등학교 교사인 필자는 작가를 꿈꾸게 되었다. 글을 쓰며 제2의 인생을 살기로 결심했다. 공학도였고 대기업 사원이었던 봄이 아빠는 건축 사업가, 문화 기획자가 되어 새로운 분야로 발을 넓히고 있다. 집을 지어 주택에 산다는 게 어떤 것이기에 새로운 꿈이 생겼을까? 이 책을 읽은 분도 공간의 변화로 인생이 바뀌는 마술 같은 경험을 해보길 권한다.

요즘 '집방'이 대세다. 방송 프로그램에 참여하는 패널들이 의뢰인이 중요하게 생각하는 가치, 비용 등에 맞춰 최적의 집을 찾아준다. 아파트, 빌라, 주택 등 다양한 형태의 집이 나오는데, '의뢰인의 기호'가 잘 반영된 집은 아무래도 주택이다. 주택은 '컨트롤C+컨트롤V'가 어렵기 때문이다. 요즘 신도시 택지 개발 지구에 가면 각양각색의 세련된 주택을 보는 재미가 쏠쏠하다. 저마다 우리 집이 제일 멋지다며 개성을 뽐낸다.

투자나 수익률 관점에서 주택은 좋은 선택이 아닐 수 있다. 하지만 이제 수익률보다 가치를 더 중요시하는 세대가 소비의 중심에 섰다. 전국 모든 매장이 일률적인 프렌차이즈보다 운영자의 개성이 묻어나는 소규모 카페가 인기다. 남들이 다 가지고 있는 물건보다 나만의 굿즈를 가지려는 사람들이 더욱 늘어나고 있다. 가치와 개성의 시대가 온 것이다.

남과 다른 환경이 남과 다른 생각을 만든다. 아이디어가 새로운 직업을 만들 수 있다. 매일 지내는 집이 남과 다르다면 눈을 떠서 잠이 들 때까지 남과 다른 생각을 하기에 유리하다. 이런 환경은 어른인 나에게도 중요하지만, 자라나는 아이에게는 더욱 중요하다. 내 아이를 남과 다르게 생각할 수 있는 사람으로 키우고 싶다. 그래서 주택 살이를 선택했다. 아직은 아이가 일곱 살밖에 되지 않아 내 선택이 어떤 남다른 결과를 가져올지는 알 수 없다. <우리가 만약 집을 짓는다면>에서 저자는 '언어가 사고의 범위를 규정하고 형식이 내용을 지배하듯, 공간에 대한 경험이 그 사람을 풍요롭게 한다'고 말했다. 공간에서 일어나는 경험의 가치를 믿는다. 아이는 이 공간에서 더 풍요로운 감성과 높은 자존감을 가진 사람으로 자랄 것이다.

집을 지어서 살려면 큰 결심이 필요하다. 하지만 어떤 집에 살고 싶은지, 왜 집을 짓고 싶은지 기준이 확실하게 섰다면 그 길은 힘들지만 가 볼 만하다. 이 책이 용기를 주고 방향을 제시해 줄 것이다. 그래도 집짓기는 자신이 없고 아파트를 탈출하고 싶은 분들을 위해 상가가 있는 다가구 주택을 매입해서 리모델링하고, 한 가구에 거주하며 나머지 가구를 세놓은 사례도 담았다. 내 집을 마련하고 월세 수입까지 마련하는 저자만의 재테크 팁이다. 위치가 좋은 곳의 노후 주택을 사서 리모델링한다면 신축에 비해 부담이 확 줄어든다. 추후 땅값 상승도 기대해 볼 수 있다. 이 책이 독자에게 공간에 대한 새로운 사고방식과 반짝이는 영감, 행운을 가져다주길 바란다.

PART 1

평범한 맞벌이 부부. 남편의 갑작스러운 사직 선언으로부터 이야기는 시작된다. 오랜 신경전 끝, 아내는 남편의 확고한 결심에 설득당하고 만다. 게다가 전혀 예기치 않았던 '상가주택' 마련에 함께 나서면서 우여곡절 많은 그들의 집짓기 여정이 펼쳐진다.

시작은 연애처럼

#01

남편의 폭탄선언

봄이 아빠의 꿈은 '부자가 되는 것'이다. 친구 소개로 처음 만났을 때 꿈이 부자라고 해서 거부감이 들었다. 20대 시절 내 사고방식 속 부자는 탐욕의 아이콘이었다. '꿈이 부자인 게 뭐야, 철학도 없고. 정말 별로야'라고 생각하며 뻥 찼다. 그런데 여차여차한 시간을 보내며 부자를 꿈꾸는 이 사람과 결혼하게 되었다. 어느 순간 나도 남편의 꿈을 위한 동지가 되었다.

결혼 전부터 둘 다 월급을 알뜰살뜰 열심히 모았다. 7~8년간 각자 직장 생활을 하며 모은 돈을 합쳐 결혼식을 올리고, 전셋집을 마련했다. 각자 1년에 1,500~2,000만 원씩 저축했기 때문에 목돈이 꽤 있었다. 결혼 후 우리는 욜로족 대신 파이어족의 삶을 선택했다. 아이가 초등학생이 되기 전에 종잣돈을 최대한 마련하고, 부동산에 투자해 재산을 늘리기로 했다. 투자로 안정적인 월세 수입이 생기면 40대 초반에 퇴사해 진짜 원하는 삶을 살겠다는 장기 플랜도 마련했다. 해외여행을 가고 맛집이나 카페 투어도 하고 싶었지만, 더 큰 목표를 위해 절제했다. 1일 식비를 1만 원으로 제한하며 타이트하게 가계를 운영했다. 결혼한 지 3년이 된 해에 봄이가 태어났다. 직장에 다니던 나는 육아휴직을 했다. 수입이 많이 줄어들었지만 절약하는 삶에 익숙했기에 그런대로 지낼 만했다.

1년 반 만에 복직했다. 아이가 어린이집에 잘 적응했고 나도 다시 직장인으로 돌아왔다. 오랜만에 월급이 입금되었다는 문자를 받았다.

'이게 얼마만의 월급이야, 이 맛에 일하는 거지.'

입꼬리가 씨익 올라갔다. 이런 날 저녁은 치맥을 하며 즐기는 거다. 맥주 캔을 따서 시원하게 한 모금 들이켰다. 닭다리를 잡고 뜯으려는 순간 봄이 아빠의 표정이 평소와 달랐다. 불안했다.

"나 회사 그만두려고."

"응? 뭐라고?"

"나 이번 정기 승진 대상이 아니래. 이직하면서 예전 회사 경력을 제대로 인정받지 못하고, 연봉도 떨어지고 직급까지 내려갔는데, 근무 기간 1개월 부족으로 승진도 안 된대. 자존감이 떨어져. 마흔 될 때까지 버티다 그만두나, 지금 그만두나 몇 년은 힘든 시기를 보내야 해. 몇 살이라도 더 젊을 때 힘든 시기를 겪는 게 나을 것 같아."

이 사람 혹시 내가 복직하면 선언하려고 기다렸던 것일까. 타이밍이 그렇게 기가 막힐 수 없었다.

결혼한 지 얼마 되지 않았을 때 봄이 아빠는 부동산 투자로 파이프라인을 잘 만들어 마흔 초반에 회사를 그만두겠다는 목표를 세웠다. 나도 동의했다. 그때까지 준비를 잘하는 게 전제였다. 봄이 아빠 회사는 전주에 있었고, 나는 김해에 있었다. 전주와 김해를 왔다 갔다 하던 중 애를 갖게 되었다. 임신 중 입덧이 심했고, 알 수 없는 통증으로 새벽에 혼자 병원에 간 날도 있었다. 봄이 아빠는 주말 부부를 그만둬야겠다고 생각했다. 내가 출산하기 전에 이직하려고 급히 알아보니 재직 중이던 회사보다 더 나은 조건의 회사가 없었다. 한집에서 봄이와 나와 함께 산다는 것만 바라고 직장을 옮겼다. 이직한 회사는 처우도, 직급도, 연봉도 무엇 하나 예전 직장보다 좋은 게 없었다. 나빠진 근무 환경이 조기 퇴사를 결정하게 된 근본 원인이었던 것 같다. 충분히 이해는 되었지만 지금은 아니다. 아직 파이프라인이라고 할 만한 게 없다. 지금 갑자기 그만두고 무엇을 하겠다는 말인가. 그때부터 한 달 넘게 다툼이 이어졌다. 두려웠다. 가정 수입이 절반 이하로 떨어질 위기였다.

준비될 때까지는 안 된다고 했다. 봄이 아빠는 타협할 생각이 전혀 없어 보였다. 닭다리를 뜯던 그 날 결심에 결론까지 내린 모양이었다. 잠 못 이루는 밤이 이어졌다.

그렇게 냉전 상태로 한 달이 흘렀다. 봄이 아빠는 고민 끝에 새로운 사업을 해보겠다고 선포했다.

"부동산 투자를 하면 인테리어가 세트처럼 따라오잖아. 그래서 인테리어 회사를 운영해보고 싶어. 공정별로 작업을 어떻게 하는지 알아야 사람을 제대로 쓸 수 있으니 내가 전부 배워보려고. 목공, 도배, 페인트, 전기 전부 다 배울게."

번듯한 대기업에 다니던 남편이 갑자기 육체노동을 하겠다고 하니 선뜻 내키지 않았다. 하지만 봄이 아빠 결심은 확고했다. 이미 한 달 동안 다툼이 이어져 더는 싸울 힘도 없었다. 시어머니께 도움을 요청했다. 어머님도 회사를 그만두지 않았으면 하셨다. 아들을 만나 대화해 보았지만, 결국 고집을 꺾지 못하셨다. 어머님께서 봄이 아빠를 데리고 유명한 철학관까지 다녀오셨다. 다행히 부동산, 인테리어 쪽이 사주에 잘 맞아 사업을 해도 괜찮겠다는 말을 듣고, 미신일지라도 조금의 위안을 얻었다. 봄이 아빠는 회사에 사표를 냈다. 곧바로 현장 밑바닥부터 실습하며 가르쳐 준다는 인테리어 학원에 등록했다. 가구 제작도 배워두면 좋을 것 같다고 했다. 그런 재교육 비용은 퇴직금으로 충당했다.

"월세로 사무실을 얻어야겠어. 인테리어 하려면 장비도 좀 있어야 하고, 가구를 제작할 공간도 필요해. 내가 알아봤는데, 인근에 보증금 500만 원에 월세 25만 원인 상가가 있더라고."

수입이 없는 상태에 재교육을 위해 많은 돈을 지출했다. 그런데 거기서 매월 25만 원씩 더 달라니? 매월 마이너스 얼마인 거야? 퇴직 후 '곶감 빼먹기'를 했다는 어느 저자의 글을 본 적이 있다. 그 현장을 내 눈앞에서 보고 있을 줄이야. 어떻게 해야 할 것인지 중심 잡기가 어려웠다. 우리는 미지로 향하는 배를 타고 항구를 이미 떠난 상태였다.

봄이 아빠는 이제 취준생이다. 내 남편이 취준생이 될 줄은 꿈에도 몰랐다. 취업하더라도 자신이 만든 회사에 취업해야 한다. 그럼 사업장이 필요하다. 며칠 전 말했던 보증금 500만 원에 월세 25만 원이라는 상가를 찾아가 보았다. 겨울에는 실내에서도 손이 시릴 것 같은 허름한 곳이었다. 부동산 월세 수입으로 파이프라인을 만들겠다는 목표는 둘째 치고, 남한테 월세를 내게 생겼다.

'월세를 주고 상가를 얻는 방법 말고는 없을까?'

'아파트에 깔고 있는 돈으로 땅을 사고, 땅 담보 대출을 일으키면 꼬마 상가주택을 지을 수 있지 않을까?'

'상가주택을 짓는 데 얼마가 들까? 과연 할 수 있을까?'

봄이가 배 속에 있을 때였다. 조산기가 있어서 누워 있는 날이 많았다. 예쁜 주택과 인테리어에 관심이 많아 누워서 스마트폰으로 관련 포스팅을 자주 봤다. 투자 관련 책도 탐독했다. 부동산, 주식, 경매 등 초보자를 위한 책을 열심히 찾아 읽었다. 주말이면 만삭의 배를 안고 부동산 탐방에 나섰다. 태교로 '재테크 공부'를 한 것이나 마찬가지였다. 주로 상가주택을 보며 '나도 언젠가 이런 건물 하나 가지면 좋겠다'고 생각했다.

마음에 드는 상가주택을 발견하면 대체 이런 건물은 얼마나 있어야 가질 수 있는지 너무 궁금했다. 주소를 메모해 등기부등본을 떼보기도 했다. 건물 주인은 다른 곳에 살면서 건물을 통째로 임대를 놓은 집도 있었다. 10년 정도 후에는 나도 이런 건물을 지을 수 있을 것 같다는 막연한 기대를 하게 되었다. 그 후로도 주택에 대한 관심이 꾸준히 이어졌다. 집을 소개하는 TV 프로그램은 꼭 챙겨봤다. 도서관에서 주택 관련 잡지 과월호를 빌려와 보고, 인터넷에서 마음에 드는 주택을 발견하면 집 구조까지 꼼꼼히 캡처해 남편과 내가 함께 쓰는 네이버 밴드에 저장해 두었다. '언젠가 나도'라고 막연하게 생각했지만 지금 돌이켜 보니 꿈을 실현하기 위한 구체적인 행동을 진작부터 하고 있었던 것 같다.

꼭 아파트에 살아야 할까? 아파트를 포기하고 상가주택을 지어 우리가 살면서 일부 세대에서는 월세를 받고, 1층 상가를 남편 사업용으로 쓰면 되지 않을까? 갑자기 머리가 빠르게 돌아가기 시작했다. '그 언젠가 나도…'라고 생각한 일이 어쩌면 1년 안에 현실이 될 것 같은 예감이 들었다. 가슴이 뛰기 시작했다.

#02

어쩌다 구도심으로

나의 최대 장점은 결정이 빠르고 그것을 끝까지 추진한다는 것이다. 남편이 상가를 얻겠다고 말한 지 24시간이 채 지나지 않았다. 내 머리와 마음은 이미 상가주택을 짓기로 했다. 그동안 피나는 노력으로 돈을 모았다. 10년 이상 맞벌이와 남다른 절약으로 목돈을 꽤 만들었다. 우리 수중에 있는 돈으로 집을 지을 수 있을지 궁금했다. 인터넷에 '상가주택 건축 비용'이라는 키워드로 검색했다. 평당 400~500만 원이라는 글이 많이 보였다.

'평당 600만 원인 땅 30평이면 1억8천이고, 건폐율을 보수적으로 50%라고 잡고 층마다 10평씩 지을 수 있다면, 누적 면적이 40평이네. 평당 600만 원 곱하기 40평은 2.4억이니까 총 4억2천? 각종 세금을 비롯한 추가금액을 생각해도 이 정

도면 해 볼 만한데?'

지방 중소도시 기준으로 그 지역에서 가장 비싼 아파트에 사는 것보다는 땅을 사서 집을 짓는 게 돈이 적게 든다는 계산이 나왔다. 주택은 집값 상승을 기대하기 어렵고 팔기도 어렵지만, 남편의 사업장이 필요한 상황에다 투자가 아닌 거주 목적이라면 괜찮다는 생각이 들었다.

"30평 정도의 작은 땅을 사서 1층에 상가를 넣고, 2~4층은 우리가 거주하는 협소 상가주택을 짓는다면 가능하지 않을까? 5억 초반이면 가능할 것 같은데?"

"난 무조건 동의해. 예전부터 내 집을 짓고 싶었어."

"한 번 해보자, 봄이 아빠. 땅부터 알아보자고."

어디가 적당할까? 내 직장과 봄이가 앞으로 다닐 초등학교 위치, 치안 문제 등 다양한 선택지가 머릿속을 왔다 갔다 했다. 봄이 학교를 1순위로 두게 되면 뚜벅이인 친정엄마가 육아를 도와주러 오기가 힘들 것 같았다. 우리 부부는 맞벌이를 해야 할 상황이라 친정엄마가 오고 가기에 편리한 위치여야 한다. 최종적으로 김해의 구도심, 봉황동을 선택했다.

봉황동은 내가 유년 시절을 보낸 곳이다. 중학교 때까지만 해도 어린 시절 친한 친구들이 같은 동네에 살고 있었다. 언제든 만나 함께 놀고 목욕탕도 가곤 했다. 타지에서 대학을 졸업하고 들어간 직장의 첫 발령지가 김해였다. 오랜만에 돌아온 동네는 많이 달라져 있었다. 친구들은 모두 봉황동을 떠났고, 저녁 8시만 되어도 어두운 길을 혼자 걷기가 무서웠다. 젊은 사람들은 인근 신도시로 옮겨갔고, 연세 많은 분들만 동네에 남아 계신 것 같았다. 상권도 이동해 저렴한 상가를 찾는 사람들만 남아 있었다. '신의 거리'라고 불러도 무방할 정도로 점집이 많아졌다. 나 역시 결혼하면 이 동네에서 멀리 떨어진 곳에서 살아야겠다고 생각했다.

결혼 후 바라던 대로 신도시 새 아파트에 보금자리를 일궜다. 전세였지만 원했던 북카페 형태의 거실을 만들었다. 아침에 일어나면 영구 조망권을 갖춘 12층 거실 창 너머로 초록 들판이 펼쳐졌다. 아파트 지하주차장을 따라가면 복합 쇼핑몰로 연결되고, 그 쇼핑몰은 경전철 역까지 이어졌다. 비를 맞지 않고 대중교통을 이용할 수 있는 곳이었다. 아파트를 산다면 김해에서는 여기가 최적이라고 생각했다. 그런데 다시 봉황동으로 온 것이다. 우리는 왜 옛 동네를 택했을까?

"이 기사 좀 봐. 봉황동을 봉리단길이라고 부르네."

점집이 즐비하고 슬럼화되고 있던 동네에 레트로한 카페와 음식점이 하나둘 생기고 있다는 소식이었다. 나이든 어르신이 많은 동네에 어울리지 않는 모습이었다. 친구들과 '봉리단길 ○○카페'에서 만나는 일이 늘었다. 이제 봉황동은 이전과 달랐다. 상권이 일어나면서 땅값도 오르고 있었다. 사실 위치만 보면 땅값이 싼 게 이상한 곳이었다. 걸어서 5~10분 거리에 김해 시외버스 터미널과 신세계백화점이 있다. 봉황역과 부원역이 도보 거리 안에 위치하고, 생태하천을 따라 김해의 걷기 좋은 길이 조성되어 산책하기에도 좋은 곳이다. 얼마 전 여행을 다녀온 경주 황리단길이 떠올랐다. 평당 100~200만 원 하던 땅값이 2~3년 만에 평당 1,000~2,000만 원까지 올랐다고 들었다. 젊은 상권이 급격히 유입되고 있어서 땅값이 오르고 있는 여기가 최선이라는 생각이 들었다. 내가 집을 지은 것을 시작으로 이 동네에 감각적인 신축 건물이 계속 들어선다면, 구도심이 다시 활력을 찾는 데 조금이라도 이바지한 것 같은 뿌듯함도 있으리라 생각했다. 설레는 마음으로 부동산을 방문했다.

#03

카페 말고 임장 데이트

"30평 땅 있나요? 4층 정도 협소주택 지으려고요. 1층은 상가를 넣어야 해요. 경전철이 보이는 곳이면 좋겠어요. 봉리단길에 접해 있는 땅도 좋아요."

"지금 나온 땅이 없어요. 저쪽은 무슨 부동산 개발 업체에서 아파트를 짓는다고 했다던가. 그래서 평당 1,000만 원 이상 아니면 안 판다네요. 거기 말고는 30평 정도 땅은 없고요. 또 괜찮은 곳은 우리 부동산에서 매매를 권유해도 주인이 안 판다고 해요. 땅값이 오를 거라고 다들 기대해서 그런지 매물이 없어요."

매물이 없다는 말을 믿을 수 없었다. 동네에 공인중개사로 일하고 계신 가까운 친척 어르신께 물어보았지만, 정말 없다고 했다. 다 쓰러져가는 허름한 집이 저렇게 많은데, 평당 몇

백 준다고 하면 너도나도 팔 것 같은데, 왜 매물이 없는 것인지 이해되지 않았다. 다른 중개사무소를 찾아가 봐도 같은 대답뿐이었다. 기운이 빠졌다. 이대로 물러나야 할 것인가? 그때 봄이 아빠가 제안했다.

"동네 구석구석 돌면서 마음에 드는 위치를 찍어보자. 여기다 싶은 곳이 있으면 지번을 메모해 등기부등본도 떼보는 거야. 그럼 소유자가 누군지, 채무가 있는지 알 수 있잖아. 땅을 팔라고 적극적으로 시도하면 팔지도 몰라. 공인중개사 말만 듣지 말고 우리가 직접 나서보자. 마음에 들면 땅 주인을 내가 직접 만나보든, 공인중개사 통해서 땅 주인에게 연락해 보든 무슨 방법이 있을 것 같아."

봄이 아빠 말에 다시 기운이 났다. 봄이를 엄마에게 맡기고 운동화 끈을 단단히 묶고서는 동네 탐방에 나섰다. 우리가 원했던 경전철이 보이는 일대를 샅샅이 뒤졌다. '이 건물을 허물면 과연 어떤 그림이 나올까?' 상상하면 설레었다. 카페 데이트, 맛집 데이트만 있는 줄 알았는데 임장 데이트라는 것도 있었다. 운동화를 신고 연애하듯이 '우리 땅'을 찾는 발걸음은 무척 가벼웠다.

"결혼 전부터 꿈꿨던 결혼 생활이 있는데, 그게 뭔지 알아?"

"뭔데?"

"주말마다 아내와 부동산 임장 데이트하는 게 꿈이었어. 좋은 부동산 있으면 서울이든 대전이든 제주도든 가서 눈으로 보는 거지. 마음에 들면 투자도 하고, 그렇지 않더라도 새로운 그 지역 맛집과 여행 명소에도 들리면서 그렇게 주말을 보내고 싶었어. 지금 우리 그런 데이트 하는 거잖아. 내가 꿈꿔온 주말이야. 너무 재밌다!"

하여튼 봄이 아빠는 일관성이 있다. 어떻게 결혼 전부터 '임장 데이트'를 꿈꿨을까. 결혼 전에 이런 이야기를 했다면 '감성이라곤 1도 없는 남자'라며 도망갔을 것 같다. 뭐 어쨌든, 지금은 나도 재밌다.

오래되고 낡은 단독주택, 아무도 살지 않는 것 같은 폐가 느낌의 집, 아주 작은 땅 등 다양한 부지를 눈으로 보고 상상했다. 이곳에 집을 지으면 어떤 느낌일까? 어느 면에서 좋을까? 우리가 살고 싶은 집을 만들어 줄 땅인지 생각했다. 봄이 아빠도 나도 마음에 드는 곳은 지번을 기록했다. 2017년 9월 주말마다 임장 데이트를 하고 다섯 군데 땅을 찍었다. 부동산 중개사무소에 나오지 않은 매물이었다. 친척 어른을 통해 땅 주인에게 연락해 보았다. 결과는 모두 실패였다. 어떤 땅은 김해 허씨 문중 소유로 팔 생각이 없다고 했고, 어떤 땅은 이미 주인이 신축을 계획하고 있었다. 또 어떤 땅은 다 쓰러져가는 집에 담보 대출도 많이 안고 있었지만 터무니없는 매매가를 제시했다. 도시가스가 들어오지 않아 LPG 가스를 쓰고 있는 땅도 있었다. 그런 곳은 도시가스 배관을 사비로 연결하려면 공사비가 만만치 않아 보였다.

직접 나서보니 중개사무소에서 왜 매물이 없다고 하는지 알 것 같았다. 근처에 금관가야 왕궁터로 추정되는 곳이 있어서 봉황동의 절반 정도는 신축 시 문화재 발굴을 해야 했다. 발굴해도 웬만하면 집은 지을 수 있다. 하지만 역사적 가치가 큰 유물이 나오면 그 땅은 문화재 보호구역으로 지정된다. 문화재 보호구역이 된 땅도 몇 군데 있었다. 땅을 샀다가 문화재 보호구역이 되면 정말 낭패다. 실제 카페를 지으려고 땅을 샀는데 문화재 보호구역이 되어 바리케이드를 친 곳도 눈에 띄었다.

"꼭 경전철이 보이는 그쪽 라인이어야 하니? 거기가 아니라도 괜찮다면 추천해주고 싶은 땅이 있어."

"거기가 어디예요? 알려주세요. 한번 검토해 볼게요."

친척 어른께서 추천해주신 땅은 인접한 두 필지였다. 한 곳은 어렸을 때 친오빠의 친구가 살던 집이었다. A땅이라고 부르겠다. 나와 같은 초등학교를 졸업한 친구들에게 'OO가스자리'라고 말하면 다 알 만한 위치였다. 2층짜리 단독주택이 있고, 뒤편에 단층 무허가 건축물이 꽤 크게 자리했다. 등기부등본상 주택 소유자는 오빠의 어린 시절 친구였고, 땅 소유자는 그 오빠의 엄마였다. 땅은 직사각형 모양이고, 남쪽 일부가 앞집에 가려져 있었다. 남쪽에 도로가 있기 때문에 남쪽 전체가 개방되어 있어야 1층 상가에 유리해 보였다. 다행히 서쪽에도 좁은 도로가 있어 웬만큼 개방성을 확보할 수 있었다. 남쪽 일부가 가려져 있는 게 이 땅의 흠이었기 때문에 시세보다 평단가가 150만 원 저렴했다.

"평당 450만 원! 가격이 너무 괜찮은데요?"

주변에 형성된 시세는 평당 600만 원대. 그마저도 매물이 없어서 사지 못하는 상황인지라 솔깃했다.

"그런데 여기는 문화재 발굴을 해야 하는 땅이야. 옆집도 발굴하고 건물을 올렸지. 옆집이 무사히 지어졌기 때문에 이곳도 특별한 게 나오지 않을 것 같긴 한데 말이야."

이때까지만 해도 문화재 발굴에 대해 잘 알지 못했다. 소규모 건축 현장은 발굴 비용을 국비로 지원받을 줄 알았고, 옆집처럼 우리도 잘 될 거라고 긍정적으로 생각했다. 후에 발굴 때문에 공사 기간이 6개월 이상 지연되고, 설계 변경에다 이웃과 마찰까지 생길 것이라고는 전혀 짐작하지 못했다.

B땅도 가 보았다. 여기도 잘 아는 집이었다. 현재 소유자는 모르지만 내가 초등학생일 때 아빠가 친하게 지내시던 고향 형님 집으로 부모님과 함께 놀러 갔던 기억도 났다.

"여기는 정사각형이고 큰 도로로 향하는 길이 있어서 상가 위치로는 A보다 훨씬 낫지. 하지만 여긴 평당 600만 원이야. 현재 남쪽에 1층짜리 건물이 있어서 남향 채광은 확보되는데,

만약 옆 땅 주인이 건물을 허물고 신축한다면 남쪽이 좀 가려질 수도 있어. 북쪽에 4층 건물이 있기 때문에 그 건물 일조권도 확보해야 하고. 대신 여긴 문화재 발굴은 안 해도 돼."

매물이 없다는 소리만 내내 듣다가 두 달 만에 접한 땅이라 그런지 둘 다 마음에 들었다. 하지만 문제가 있었다. A땅은 66평, B땅은 48평으로 우리가 사고 싶은 땅 면적보다 훨씬 넓었다. 30평 땅을 모델로 가정하고 감당 가능한 비용으로 어림짐작해 보았던 예산을 넘어섰다. 이제 땅값만 대략 3억 원이었다. 땅값은 어찌 해결한다고 해도 66평 땅에 짓는 건물의 건축비는? 예상치 못한 큰 금액이었다. 그래도 이 땅을 놓치고 싶지 않았다. 마음은 둘 중 하나는 무조건 사겠다는 쪽으로 기울어 있었다. 친척 어른과 아빠도 땅 살 돈만 있으면 땅을 담보로 대출받고, 건축 잔금은 세입자를 미리 구해서 보증금으로 충당하면 될 것이라고 했다. 나중에 땅을 매도할 때를 생각해도 60~70평 사이가 딱 좋다고 했다. 건물 짓고 싶은 사람들이 가장 선호하는 면적이라는 것이다. 어떻게든 집을 지을 수 있는 쪽으로 방법을 모색했다.

"장인어른, 장모님이 한 층에 들어오시면 어떨까. 지금 살고 계신 집을 팔고 우리 집에 전세로 사시면 공사비 부담이 좀 줄어들 것 같은데. 계속 봄이를 돌봐주고 계시는데 이동에 대한 불편도 줄일 수 있고, 우리도 늘 부모님 살펴볼 수 있고."

"엄마 아빠가 응하실지 모르겠어. 예전에 비슷한 얘기를 꺼낸 적 있는데, 딱 잘라 싫다고 하셨거든."

그래도 우리가 잘 설득하면 가능하리라 생각했다. 부모님 허락을 받지도 않은 채 부모님이 한 층에 사시게 될 것으로 믿고 일을 진행했다.

#04

땅도 내 것이 되니 사랑스럽다

결혼 준비할 때 봄이 아빠 친척 어른이 하는 금은방에서 예물을 맞췄다. 세련된 예물 상점을 모두 지나쳐 '강원당'이라는 복고풍 간판 아래 앉아 시무룩해졌다. 봄이 아빠와 함께 모은 돈으로 예물을 준비하는 것인데, 왜 예비 시부모님이 정해준 곳으로 와야 하는지 그 상황이 다소 원망스러웠다. 하나같이 촌스럽게 보여 입이 삐죽 튀어나왔다. 봄이 아빠도 조금 당황한 기색이었다. 내 눈빛을 읽은 것 같았다. 딱히 고르지 못하고 망설이고 있자 어머님이 말씀하셨다.

"다이아 반지는 내가 해줄게. 하나 골라봐."

그 말에 봄이 아빠와 내 얼굴에 화색이 돌았다. 그러고 보니 예쁜 반지가 꽤 있었다. 그중 하나를 골라 손가락에 끼워 보았다. 내 것이 되니 참 사랑스럽고 예뻤다. 나머지 예물도 그곳에서 비교적 저렴하게 골라 지금도 잘 쓰고 있다.

땅을 계약하기 전에 후보지에 대한 여러 의견을 듣고 '○○ 가스'가 있는 그 땅을 사기로 결정했다. 예상보다 두 배 커진 땅 때문에 돈이 더 많이 들 것이다. 우선 부모님부터 설득해야 했다. 지금 살고 계신 집을 팔고 같은 건물 다른 층에 입주해 같이 사시자고.

"엄마 아빠, 우리가 짓는 집 2층에 함께 살면 어때요?"

"같이 살면 불편해. 적당히 거리가 있어야 좋은 사이가 유지되는 법이야."

"봄이 봐주시는 것도 편하고, 엄마 아빠께 무슨 일이 생기면 우리가 빨리 대처할 수 있잖아요. 각자 사는 층이 다르니까 가까이 다른 건물에 사는 것과 별로 다르지 않을 거예요. 육아 때문에 부모님과 아파트 같은 동 위아래층에 사는 사람들도 있잖아요. 각자 생활 존중하면서 장점 위주로 생각해봐요. 청소 관리업체 대신 건물 내외부도 관리해 주시면 그만큼 용돈도 더 드릴 수 있고요. 또 가족은 부대끼며 싸우고 화해하고 그런 거 아니겠어요? 하하하."

엄마 얼굴에 걱정의 그림자가 보였다. 단점보다 장점이 더 많을 것이라며 계속 부모님을 설득했고, 결국 허락하셨다.

'부모님이 한층 들어오셔서 전세 계약을 맺고, 원룸과 상가에서 보증금이 들어올 테고, 땅을 담보로 대출하면 또 얼마가

생길 테니, 그래 할 수 있겠어! 해보자!'

계약 날짜를 잡았다. 친척 어른 부동산 사무실에서 매도인을 만났다. 땅값의 약 10%를 계약금으로 입금하고 계약서에 도장을 찍었다. 두 달 뒤인 2018년 1월 말에 잔금을 치르기로 했다. 땅 소유권이 넘어오기 전에 착공 진행을 위해 현 소유권자의 동의가 필요할 경우 동의를 해준다는 약속을 받았다.

2층 구옥 뒤편에 석면 슬레이트 지붕의 무허가 건물이 있었다. 석면 슬레이트는 1급 발암 물질이기 때문에 해체하는 데만 하루가 필요했고 비용도 꽤 비쌌다. 석면 슬레이트 해체 비용 지원 사업을 신청하려면 서둘러야 했다. 선착순 접수로 현 소유권자 명의로만 신청이 가능했기 때문에 매도인의 동의가 필요했다. 그 외에도 어떤 부분에서 현 소유권자의 동의가 필요할지 알 수 없어서 일단 계약 시 동의를 받아둔 것이었다.

"땅 계약했어. 이제 우리 땅이야. 그리고 앞으로 돈이 계속 필요하잖아. 그래서 묵혀 둔 주식 팔았어. 손해 보고."

봄이 아빠 목소리가 설렘으로 가득 찬 게 느껴졌다. 나도 기뻤다. 뭔가 중요한 일을 위한 첫발을 내디딘 기분이었다. 장기로 둔 주식을 손절매한 것은 크게 개의치 않았다. 점심 식사 후 같은 연구실에 있는 선생님들께 커피를 샀다.

"오늘 무슨 날이야? 갑자기 쏘는 이유가 있는 것 같은데?"

"묵혀둔 주식을 마이너스에 팔았어요. 팔고 나니 속이 후련해 너무 좋아서 쏘는 거예요. 다른 곳에 투자해서 이득 보면 되니까요."

집을 지으려고 땅을 샀다고 말하면 자랑일 것 같아서 다른 이유를 둘러댔다. 모두 웃으며 커피를 얻어먹어도 되는지 모르겠다는 위로의 말을 건넸다. 위로받으면서도 기뻤다.

퇴근길에 봄이 아빠를 만나 봉황동으로 갔다. 땅을 살펴보고 해가 진 봉황동은 어떤 느낌인지 보기 위해서였다. 이제 내 땅이라 생각하니 다르게 보였다. 어렸을 때도, 결혼 후 부모님 집에 드나들 때도 오며 가며 자주 본 곳인데 말이다.

'이 땅이 이렇게 컸던가. 남쪽에 길이 나 있어 해도 잘 들어오네. 대로에서 조금만 들어오면 되는 위치라 손님들이 상가에 찾아오기에도 좋을 것 같아. 시세보다 저렴하게 참 잘 샀어.'

• 철거 전 구옥의 모습

내 것이 되니 좋은 점이 자꾸 보였다. 봄이 아빠 손을 잡고 동네를 걸었다. 예쁘게 리모델링 중인 주택이 보였다. 1층에는 카페가 생길 모양이었다. 골목마다 어릴 적 추억이 남아 있었다. 뛰어다니기만 해도 즐거웠던 골목, 친구와 자전거를 타고 누비던 골목, 귀신이 나올까 봐 무서워 혼자서는 절대로 가지 않았던 골목들이었다. 예전 모습이 그대로 남아 있는 가운데 간간이 예쁘게 리모델링한 카페와 음식점이 들어서 있었다. 과거와 현재의 조합이 참 매력적인 동네라는 생각이 들었다. 땅 계약서에 도장을 찍은 그 날부터 주말마다 이 동네를 거닐었다. 어느 집이 공사 중인지, 어디에 새로운 카페가 들어왔는지 동네에서 일어나는 새로운 변화를 누구보다 빨리 알아챘다. 친구들과 약속이 생기면 되도록 봉황동에서 만났다. 내 땅이 자리한 봉황동 홍보대사를 자처했다.

봄이아빠 이야기 01

"건축 비용, 이렇게 마련해라"

집을 짓고 싶은 마음은 있지만 실천에 옮기지 못하는 이유가 무엇일까? 결국 용기와 자금 때문이라고 생각한다. 우선 용기는 이 책을 다 읽고 나면 생길 것이다. '저 사람들도 해냈는데 나라고 못 할 게 뭐람!' 하고 외치면 된다. 그다음은 자금이다. 물론 목돈을 가지고 있다면 가장 좋다. 아니라면 집 담보 대출이나 전세 담보 대출을 활용할 수 있다. 지금 사는 집을 처분하고 집을 짓는 동안 잠시 땅 근처에 집을 얻어 월세로 지내면서 목돈을 확보하는 방법도 있다. 집 지을 땐 옆집이나 앞집과 사이가 좋아야 한다. 시끄럽고 먼지가 나서 못 살겠다며 민원을 넣으면 일단 공사가 스톱된다. 공사가 멈추면 가장 애타는 사람은 건축주다. 공사 기간은 결국 돈이기 때문이다. 내가 읽은 어떤 책에서는 집 지을 땅 바로 옆에 있는 원룸으로 가족 전체가 이사 갔다고 했다. 몇 달째 비어 있던 방이라 계약을 반겼다. 곧 이웃 될 사람이 자기 건물에 들어와 살며 집을 짓고 있어서 집 지을 때 호의적이었다고 한다. 건축주는 민원도 해결했고, 가까이에서 언제든 집이 지어지는 과정을 살펴볼 수 있어서 좋았다고 했다.

땅을 구입했다면 다음에는 땅 담보 대출을 일으킨다. 그럼 웬만큼 집을 지을 수 있다. 우리의 경우 땅 담보 대출이 50%밖에 나오지 않아서 그 돈으로는 집을 다 지을 수 없는 상황이었다. 한 층에 장인, 장모님이 들어오시기로 해서 살고 계신 집을 팔아 자금을 보태기로 했다. 하지만 그것도 집을 다 지은 후에야 받을 수 있었다. 막연하게 대출하면 가능하리라 생각했는데, 처음 계획했던 것보다 좀 더 큰 땅을 사게 되면서 이래저래 예산이 늘었다.

2018년 1월에 아내와 함께 사설 문화재 발굴 기관을 방문했다. 발굴 과정과 비용을 알아보기 위해서였다. 우리가 땅을 산 곳이 '도시재생 사업 지역'[1]으로 지정되어 있었다. 도시재생 사업 지역에 구도심 재생 기능을 할 수 있는 집을 짓는데 아무런 혜택도 없고, 발굴 과정도 원칙대로만 진행되는 점이 안타까웠다. 사업 지역이면 그 혜택을 받는 사람들이 있을 거란

---

1) **도시재생 뉴딜사업** : 문재인 정부의 주요 국정 과제 중 하나로, 전국의 낙후 지역 500곳에 매년 재정 2조 원, 주택 도시 기금 5조 원, 공기업 사업비 3조 원 등 5년간 총 50조 원을 투입하는 도시재생사업. 사업 대상지 절반 이상이 1,000가구 이하의 소규모 지역(우리동네살리기)으로 추진된다.

생각에 이것저것 알아보기 시작했다. 그 결과, 도시재생 사업 지역에서 신축이나 리모델링을 할 때 낮은 이자로 장기간 대출 가능한 사업이 있다는 것을 알게 되었다.

우리가 이용한 대출은 '주택도시보증공사 HUG'에서 하는 '코워킹 커뮤니티 시설 조성 자금 융자 상품'이었다. 코워킹 커뮤니티 시설은 업무, 문화집회, 교육연구, 판매, 숙박, 근린생활시설, 주택 등이 동일 건축물 내 복합 활용 목적으로 함께 운영되는 시설을 말한다. 건설, 매입 리모델링 자금으로 사용 가능하고 연 2% 초반대로 시중 부동산담보 대출 금리에 비해 낮은 편이었다. 원금 상환 기간은 기본 5년이고 1회 연장 시 민간은 최장 10년까지 원금 상환을 유예할 수 있다. 원금은 만기에 일시 상환할 수도 있고, 원리금을 균등 분할 상환하는 방법도 있다. 중도 상환 시에도 중도 상환 수수료가 발생하지 않아 매력적이라고 생각했다.

코워킹 스페이스 면적 조건

건축면적 5,000m² 미만	건축면적 5,000m² 이상
면적 10m² 이상 & 연면적의 10% 이상	500m² 이상

• 출처 : HUG 공식 블로그

매력적이지만 몇 가지 제한 조건이 있었다. 코워킹 스페이스 면적 조건이라는 게 있었다. 코워킹 스페이스 공간을 제3자에게 임대하는 경우 「상가건물 임대차보호법」 등 법정 기간까지 계약갱신을 보장해야 하며, 융자 기간에 임대료 인상률 5% 이내 등 융자 약정을 준수해야 했다. 제한 조건에 맞춰 상가를 운영하더라도 이 대출은 어떻게든 받아야 한다고 생각했다.

양식에 맞춰 계획서를 작성했다. 1층 상가 공간은 근린 생활 시설로 나의 창업 공간인 오피스 시설을 코워킹 공간으로 활용하겠다는 내용이었다. 준공 이후 주택 및 인테리어 전문 잡지에 건물을 소개하고, SNS를 활용해 홍보할 것이며 토지 매입에서부터 건물 준공, 코워킹 스페이스 운영까지 내용을 담은 책을 발간할 것이라고 썼다. 실제로 주택 전문 잡지에 소개되었고, 봄스테이를 홍보하는 SNS를 운영하고 있고, 지금 이렇게 책을 쓰고 있다. 계획서에 담은 내용이 거의 실현되었다.

내가 집을 짓기로 마음먹은 가장 큰 이유는 사업장이 필요했기 때문이다. 막상 집을 지어 이곳에서 아이를 키우고 꿈을 실현하며 살게 될 날이 현실로 다가오니 '내 사업의 성공' 뿐만 아니라 '이 동네가 더 살기 좋은 동네'가 되었으면 하는 욕심도 생겼다. 주택도시보증공사의 '코워킹 커뮤니티 시설 조성 자금 융자 상품'은 지역 경제 활성화 효과도 얻을 수 있으므로 사업을 따낸다면 동네 발전에도 이바지할 수 있을 것 같았다. 이런 바람이 HUG 업무 담당자들에게 잘 전달된 것 같다. 멀리서 김해까지 실사를 나왔다. 그때마다 담당자들에게 앞으로의 사업 계획을 설명하고 이 동네가 어떤 발전 가능성을 가졌는지도 이야기했다. 착공 전부터 동네 홍보대사가 된 기분이었다. 깐깐한 검토를 통과해 대출을 받았다. 그렇게 대출받은 자금의 힘으로 공사를 잘 마무리할 수 있었다.

공정별 시공비 내역서

공사구분	비용	비고
철거공사	20,700,000원	
토공사	18,571,850원	
철근콘크리트공사	135,215,414원	
조적공사	3,318,600원	
미장공사	14,489,000원	
방수공사	4,400,000원	
타일공사	10,217,550원	
석공사	9,460,000원	
창호/유리공사	32,710,000원	
금속공사	18,058,521원	
폴리카보네이트공사	22,550,000원	
스타코공사	23,354,540원	
도장공사	5,934,000원	
수장공사	37,397,668원	
가구공사	11,818,182원	
에어컨공사	10,956,000원	
부대공사	13,380,000원	
기타	31,922,085원	
설비공사	29,745,320원	
전기공사	25,025,000원	
전기제품 외	14,000,000원	
준공청소	1,320,000원	
산재, 고용 보험	7,138,140원	
총합계	**501,681,870원**	

건축 설계비와 내 노동의 대가는 포함되지 않은 금액이다. 2018년 10월 말 착공하고 2019년 5월 초 준공 승인을 받았다. 약 6개월간 현장에 늘 내가 있었다. 보통 비슷한 규모의 현장 소장 월급이 500만 원 정도라고 한다. 직영이 아니었다면 총 공사비가 최소 1억 원 정도는 더 들었을 것이다. 내가 직접 지었기 때문에 어떤 자재를 썼는지 훤히 다 알고 있고, 단열이나 방수 작업 때는 눈에 불을 켰다. 나와 가족이 살 집이기 때문에 한시도 눈을 뗄 수 없었다.

참고로 '코워킹 커뮤니티 시설 조성 자금 융자 상품'에 대한 내용은 내가 신청한 2018년 기준과 HUG 공식 블로그에 게재된 최신 글 2019년 작성된 글이 최신 의 기준에 따라 작성한 것이다. 집을 지으려고 하는 지역이 도시재생 사업 지역이어야 신청이 가능하다. 신청 시점의 제한 조건 등을 꼭 확인하길 바란다. 도시재생 사업 지역이 아니더라도 지역에서 지원하는 사업이 많이 있다. 조금만 노력하면 남들이 발견하지 못한 보석 같은 지원 사업을 찾을 수 있을 것이다. 손품 팔기 정도의 노력은 필수다. 집값 상승을 기대하며 남들과 똑같은 아파트에 사는 것보다 내가 원하는 형태의 집을 지어 산다면 대출을 갚더라도 더 행복하지 않을까. '돈이 없어서 안 돼'보다 '어떻게 하면 집 지을 돈을 마련할 수 있을까?'라고 생각을 전환해 보자. 진심으로 원하면 길이 열린다.

#05

설계자와의 첫 만남

언젠가 집을 지으리라는 마음으로 건축 잡지를 훑어볼 때와 실제 수개월 내에 집을 지어야 하는 상황에 닥쳐 책을 볼 때는 큰 차이가 있었다.

'이런 폴딩 도어는 얼마나 할까? 설치하면 춥지 않을까?'

'집 외관은 깨끗한 하얀 색이었으면 좋겠는데, 잡지에 나오는 그런 집들은 어떻게 마감한 것일까?'

가슴 설레는 생각에 잠 못 이루는 밤이 이어졌다. 부산 벡스코에서 건축 박람회가 열린다는 소식에 가족이 다 같이 출동했다. 박람회에는 타일, 욕실 제품, 외장재 등을 판매하는 자재 업체를 비롯해 집을 짓는 시공사 부스도 있었다. 사실 그때만 해도 시공사, 건축가 같은 개념도 잘 구분하지 못했다. 건축 상담을 한다고 적힌 부스에 무작정 들어가 보았다.

"앞에 두 팀이 대기하고 있네. 여기 괜찮은 곳인가 봐. 우리도 여기서 상담하자."

대기를 걸어 놓고 여기저기 구경 다니며 마음에 드는 인테리어가 보이면 사진에 담았다. 베네치아 어느 마을이 떠오르는 컬러풀한 현관문 앞에서 사진도 찍었다. 이런 곳에서 하는 데이트가 너무 즐거웠다. 아이와 함께 여행을 왔다는 기분으로 박람회를 즐겼다.

● 컬러 현관문 앞에 선 봄이

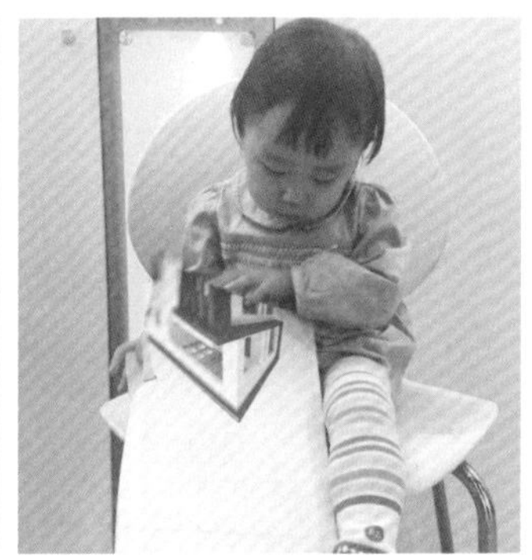

● 엄마 아빠가 시공사와 상담 중일 때 책을 보며 기다리는 봄이

우리 상담 순서가 왔다.

"땅 사셨어요?"

"아니요. 아직 계약은 안 했고요. 보고 있는 땅은 있습니다."

"그럼 지번을 알려주세요."

"네. 경남 김해시 봉황동 ○○○번지입니다."

그분은 곧바로 로드맵으로 땅 모양과 인접 대지 상황을 파악했다 박람회에 방문한 이 당시만 해도 30평대 땅을 구입하려고 했다. 그리고는 시뮬레이션 프로그램을 열더니 블록 쌓기를 하듯 순식간에 상가주택 하나를 완성했다.

"땅이 30평대고 건폐율이 50%이니 1층은 이 정도 면적으로 지을 수 있고요. 다음에는…."

본인은 시공자인데, 설계도 할 줄 안다고 했다. 자신이 직접 설계하고 친한 건축사에게 의뢰해 건축 승인을 받는다고 했다. 그래서 설계비는 500만 원이면 되고, 건축비는 3억 원 정도를 제시했다. '집짓기가 세상에서 가장 쉬웠어요' 같은 경쾌한 느낌을 받고 명함을 챙겨 집으로 왔다. 아마 그 이후 별다른 공부를 하지 않았더라면 그런 시공사에 설계까지 모두 맡기며 집짓기 계약을 했을 것 같다.

이어서 부푼 마음을 안고 도서관으로 갔다. 집짓기, 주택 살이 관련 책을 있는 대로 빌렸다. 서점에서 <건축주만이 알려줄 수 있는 집짓기의 진실>이라는 책이 눈에 띄어 사 왔다. 책을 읽으며 건축주, 시공사, 건축가가 어떤 이해관계로 얽히게 되며 어떤 역할을 하는지 비로소 알게 되었다.

"집을 잘 지으려면 건축 설계에 드는 돈을 아까워하면 안 될 것 같아. 봄이 아빠, 친구가 건축과 다녔다고 했었지? 소개해줄 수 있는 건축가가 있을까?"

그렇게 공오스튜디오 두 소장님과 메일로 인사를 나누게 되었다. 봄이 아빠 친구가 소장님께 이러저러한 상황을 설명했고, 고민 중인 땅 두 필지의 지번을 알려주었다 이때는 60평 후반대와 40평 후반대의 두 땅을 두고 고민 중이었다.

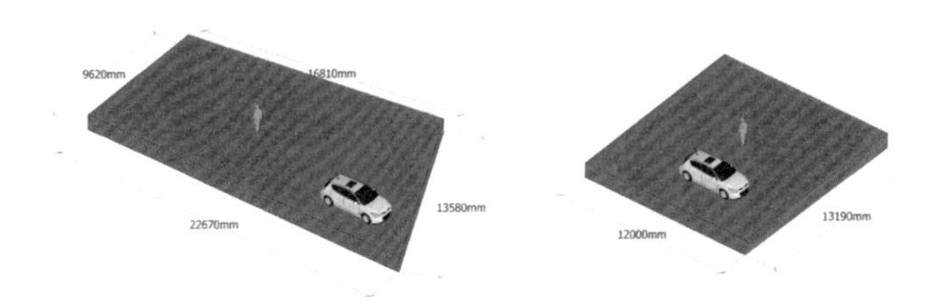

• 고민 중인 A땅과 B땅의 활용도를 설명하기 위해 공오스튜디오가 제시한 그림

A땅과 B땅의 크기와 건축 시 장단점을 비교해 주셨다. A땅으로 마음이 조금 기울어져 있었고, 소장님들도 A땅이 더 좋겠다고 했다. 친구 덕분에 땅 구입 전, 전문가에게 조언을 구할 수 있었고 공오스튜디오에 대한 신뢰가 생겼다. 두 번의 전화 통화와 두 번의 메일에서 긍정적이고 도전적이며 창의적인 건축가라는 느낌을 받았다. 내부 인테리어 디자인과 마감까지 섬세하게 설계 작업을 하며 예상 비용과 실제 건축 비용 오차를 줄이려는 노력에 더욱 믿음이 갔다. 아주 디테일한 부분까지 설계 과정에서 모두 결정하고, 예상 비용에 반영하기 때문에 시공사가 자율성을 발휘할 부분이 거의 없을 것이라는 말씀도 좋았다. 여기저기 비교해 볼 것도 없이 공오스튜디오와 건축 여정을 함께 하기로 했다. 건축주 직영건축 강의를

들으러 서울에 간 날 계약서에 도장을 찍었다.

2017년 12월 '김해 보르네오 프로젝트'라는 이름의 네이버 밴드를 만들었다. 소장님들은 네덜란드에서 공부하셨다. 네덜란드 보르네오에 우리 땅처럼 직사각형 대지에 지은 집이 많은데, 그런 대지에 적합한 건축 설계 경험이 많다고 했다. 보르네오 건축물처럼 짓겠다는 목표로 이름을 붙였다. 공간에 대한 많은 생각 거리를 숙제로 받았다.

• 네덜란드 보르네오 섬의 직사각형 주택들

상가는 어떤 용도로 쓸 것인지, 2층 부모님 세대는 어떤 라이프스타일을 반영해야 할지, 우리가 살게 될 3, 4층에 꼭 있었으면 하는 공간은 무엇인지 등이었다. 예쁜 집을 짓고 싶다는 막연한 생각만 했는데, 소장님들의 질문을 받고 내가 왜 집을 짓고 싶은지와 어떤 집에 살면 행복할지 치열하게 생각했다. 주방과 거실이 개방되어 주방에서 일하는 사람이 거실에 있는 가족과 분리되고 소외되는 느낌을 받지 않았으면 했다. 상가주택이라 1층은 마당이 아닌 주차장이 자리해야 한다. 그래서 테라스나 옥상 어딘가에 흙을 만질 수 있고 나무가 자라는 정원이 있었으면 좋겠다고 생각했다. 거실은 복층으로 층고가 높고 그만큼 큰 창이 한쪽 벽면을 채워 해가 가득 들어왔으면 싶었다. 계단실은 단순한 통로가 아닌 책으로 가득 찬 놀이터이자 휴식 공간이 되었으면 했다. 방은 숙면을 위한 최소한의 기능으로 크기를 작게 하고, 공용 공간을 최대한 크게 하고 싶었다. 욕실 세면대가 있는 공간은 건식으로 하고, 세면대 옆에 파우더룸을 넣어 욕실에서 메이크업이 가능하도록 설계해 달라고 요청했다.

네이버 밴드를 통해 내 의사를 전하면 소장님은 그 내용을 바탕으로 다시 질문을 던졌다. 그렇게 2주 정도 질문을 주고받은 후, 봉리단길 한 카페에서 소장님들과 처음 대면했다. 그때부터 2주에 한 번씩 몇 차례 만나고 어느 정도 설계의 큰 틀이 나온 이후로는 한 달에 한 번, 소장님 두 분 중 한 분씩 번갈아 가며 김해 현장으로 오셨다.

우리 땅을 비워두고 그 땅 위에 스티로폼 조각을 올리며 구상한 건물의 느낌을 보여주셨다. 너무 설레 꿈인 것 같다는 생각도 들었다. 그토록 바라던 집을 내가 정말 짓게 되는가. 눈앞에 두 소장님이 있어도 믿어지지 않았다. 연애할 때처럼 가슴이 콩콩 뛰었다.

처음 구상한 건물은 가운데를 비우고 건물이 앞뒤로 배치되는 형태였다. 북측에 위치하는 집에 채광이 얼마큼 확보되는지 그래픽으로 보여주셨다. 시간대에 따라 햇빛이 투과되어 변하는 과정이 너무 신기했다. 눈을 뜨고 잠이 들 때까지 집짓기 생각뿐이었다.

'어떤 모습의 집이 완성될까? 저런 집에서 살면 얼마나 행복할까?'

어서 집을 지어 나의 이 가슴 벅찬 경험과 기쁨을 나눠야겠다는 생각이 들었다. 집이 완공되고 사람들을 초대해 옥상에서 매일같이 파티를 열고 싶었다. 일상이 파티 같은 주택 살이를 꿈꾸며 내 마음은 풍선처럼 부풀었다.

#06

설계, 케미가 중요해

"건축 상패를 건물 외벽에 붙이고 싶어요."

"잡지에 나올 수 있는 집이면 좋겠어요."

공오스튜디오 두 소장님과 처음 만난 날 이렇게 말했다. 본격적인 설계에 들어가기 전에는 어떤 집을 지어야 할지 생각이 부족했다. 그저 좋은 집, 멋진 집, 남들이 부러워할 집을 짓고 싶다는 철없는 생각뿐이었다. 두 소장님은 내가 간과하고 있는 부분을 질문으로 깨우쳐 주셨다.

"어떤 공간이 꼭 필요하세요? 왜 필요하세요? 공간의 크기는 어느 정도를 원하세요?"

"부모님 두 분의 라이프스타일을 알려주세요."

이런 질문에 대답하기 위해 내게 필요한 집이 어떤 집인지 끊임없이 고민하게 되었다. 소장님들은 집의 기능성 외에 집을 왜 짓는지 차분히 생각하도록 도와주셨다. 건축상을 받고 싶고, 잡지에 나오고 싶다는 건축주의 로망을 실현해 주기 위해 남다른 외관을 디자인했다. 남측면 일부가 앞집에 가려진 단점을 극복하면서 1층 상가 전면부의 개방성을 확보하기 위해 집을 약간 비틀었다. 상자를 엇갈려 쌓는 느낌이었다. 건물을 지을 때 꺾이는 곳이 많이 생길수록 건축 비용이 상승하고 신경 써야 하는 디테일이 많아 공사가 힘들다는 글을 본 적이 있었다. 또 소장님들로부터 폴리카보네이트라는 생소한 외장재를 제안받았다.

"폴리카보네이트요? 그게 뭔가요?"

"대지 남쪽과 서쪽에 도로가 있어 창을 많이 내면 도로에서 내부가 훤히 다 보여요. 채광을 확보하면서 바깥으로부터 시선은 차단할 수 있는 외장재에요."

"그럼, 소장님들 믿고 도전해 볼게요."

몇 초의 망설임도 없이 대답했다. 소장님들에 대한 신뢰가 컸던 것 같다. 그 신뢰는 내내 변함이 없었다.

"바깥에서 내부가 보이지 않지만, 내부의 빛은 은은하게 밖으로 퍼져나가는 외장재에요. 밤에 이 집이 더 빛나게 될 것 같아요. 사실 다른 집을 설계할 때 제안해 본 적이 있어요. 그런데 본인 집으로 시험하는 건 싫다며 낯선 도전을 거부하셨어요. 두 분은 참 도전적이시네요."

그때부터 서로를 알아본 것 같다. 소장님들도 우리도 새로운 것에 대한 두려움이 없었다. 문제가 발생하면 고치면 된다는 사고방식을 가진 사람들이었다. 소장님들은 2주에 한 번씩 만날 때마다 우리의 요구사항을 반영한 업그레이드 된 설계 도면을 가져오셨다. 작은 것 하나 놓치지 않고 반영했고, 네이버 밴드를 통해 진행 상황도 공유했다. 내 머릿속에 있는 그림을 소장님들이 이해할 수 있도록 예시 사진, 설명을 담아 PPT로 제시했다.

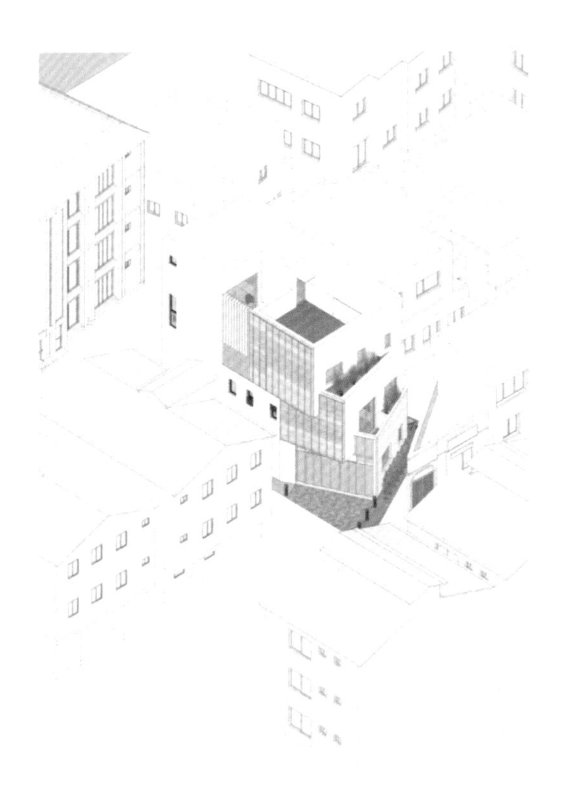

건물 전체 뼈대와 공간 구획이 나온 다음 내부 인테리어 설계 단계에서 케미가 더욱 빛났다. 소장님 두 분이 부부인데, 각자 강점을 살려 업무를 나눠 진행하는 것 같았다. 디테일이 중요한 부분은 아내 이 소장님이, 큰 뼈대와 건축 승인 등의 과정은 남편 정 소장님이 맡는 식이었다. 우리 부부도 그랬다. 설계 단계는 대부분 내가 의사 결정을 했고, 시공 과정에서 일어나는 일은 남편이 판단하고 결정했다. 내부 디자인 설계 때 네이버 밴드뿐만 아니라 핀터레스트[2]에도 공유했다. 3층 주방이라는 핀터레스트 폴더에 내가 마음에 드는 스타일의 사진을 담아 두면 유사한 사진을 소장님들도 찾아서 그 폴더에 담아 두셨다. 건축가의 욕망을 채우기 위한 허세가 담긴 디자인을 하지 않았다. 건축주의 라이프스타일을 반영하는 게 설계의 우선순위였다. 그러면서도 '어떻게 하면 더 예쁘게 디자인할지, 합리적인 가격으로 시공할 수 있을지'를 고민해 주었다. 서울과 김해라는 물리적 거리에다 설계 중 봄이 아빠가 한 달간 북유럽에 있기도 했지만, 북유럽과 서울 김해를 잇는 3자 영상 회의를 할 정도로 열정적이었다. 어느 한쪽이라도 뜻이 맞지 않았다면 그렇게 하기는 어려웠을 것이다.

건축 승인을 받기까지 많은 일이 있었다. 시청 담당자가 서

2) 핀터레스트는 다양한 사진을 통해 집 꾸미기를 포함한 여러 아이디어를 얻을 수 있는 플랫폼이다. 좋아하는 분야를 항목별로 저장할 수 있고, 그것을 원하는 사람들과 공유할 수도 있다.

울에서 온 건축사에게 은근히 텃세를 부리는 듯한 느낌을 받았다. 다른 지역에서는 전혀 문제가 되지 않는 부분이 이 지역에서는 걸림돌이 되기도 했다. 그리고 문화재 발굴 국비 지원을 받기 위해 건축 면적 총합이 80평 이하 2018년 건축 허가 당시 기준[3]여야 한다는 사실을 뒤늦게 알게 돼 설계를 대대적으로 수정해야 할 위기에 놓였다.

"저희가 발굴 과정과 비용을 알아봤는데요. 별일 없이 전 과정을 진행하면 3,000~5,000만 원 정도가 들고, 한 지층에서 두 시대 이상의 유물이 발견되면 발굴 비용이 두 배가 된다고 해요. 우리가 비용을 지불해 발굴하면 빠르게 진행할 수는 있겠지만 발굴에 너무 큰 비용을 써서 집을 못 지을 수도 있겠다는 생각이 들어요. 소규모 발굴 국비 지원을 받으려면 총 건축 면적이 80평 미만이어야 한다네요."

설계 미팅 때문에 정 소장님만 김해에 온 날이었다. 지금까지 진행한 설계에 많은 수정을 해야 할지도 모르는 상황이었다. 그러나 소장님은 전혀 거리낌이 없었다.

"발굴에 5,000만 원씩이나 돈을 쓸 수는 없죠. 어떻게 해서든 지금까지 나온 설계에서 실제 사용하는 면적에 변화가 없

---

3) 최신 매장문화재 보존 및 조사에 관한 법률 시행령을 찾아보니 단독주택은 매장문화재 발굴 조사의 연면적 제한조건이 폐지되었다. 하지만 우리 집과 같이 개인 사업자가 상가주택을 짓는 경우 건축물의 대지면적이 792m² 이하이고, 연면적 264m² 이하인 경우만 국비 지원을 받을 수 있다. 법이 수시로 바뀌니 현행법을 꼭 찾아봐야 할 것이다.

으면서도 건축 면적은 80평 미만이 되도록 대안을 찾아보겠습니다."

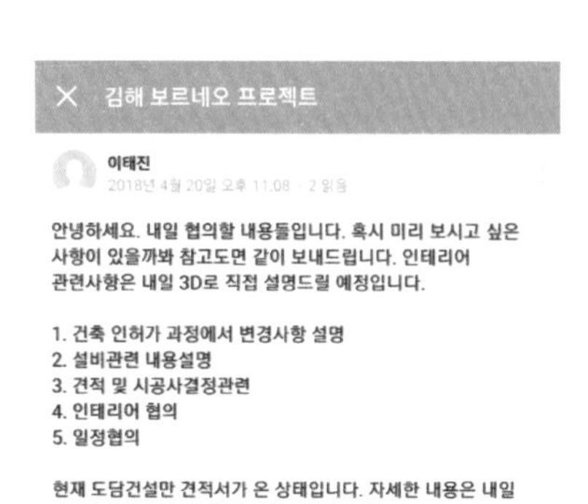

●건축가와 건축주의 의사소통 창구

지금 생각해 보면 너무 큰 행운이었다. 재고 따지지도 않고 계약한 건축사였는데, 이렇게 우리와 잘 맞는 게 신기할 정도였다. 집 짓는 과정에는 여러 가지 이유로 설계를 변경해야 하는 일이 생기기 마련이다. 변경 전이 변경 후보다 더 낫다면 속상할 수 있다. 이 경우에도 건축사와 건축주의 케미가 필요하다.

건축사는 매력적인 A′를 제시해야 하며, 건축주도 A에 머물러 있을 게 아니라 A′의 장점을 빨리 파악하고 '이 정도면 최선이다'라는 마음이 필요하다. 본 게임은 아직 시작도 하지 않았다. 본 게임에 돌입하면 무수한 변수와 만나고 계획이 틀어져 마음 상할 일이 많다. 소장님들은 문제가 발생할 때 기존보다 공간 크기나 디자인이 나빠지지 않도록 신경 써서 A'를 만들었고, 피드백이 빨랐다. 지나간 것에 마음 두지 않고 빠르게 앞으로 나아갔다.

#07

10년 늙지 않겠다는 다짐

"나 집 짓게 됐어."

이렇게 내 근황을 전하면 대부분 비슷한 반응을 보였다.

"집 지으면 10년은 늙는다던데…. 힘들 텐데 괜찮겠어?"

"주택에 살면 신경 쓸 게 많다던데, 부지런해야 할 수 있지."

"주택 춥잖아. 그런데 돈은 얼마나 들어?"

긍정적인 반응을 찾고 싶었지만 여기저기서 들은 주택에 대한 혹설과 걱정뿐이었다. 주위에 주택을 지어 사는 사람이 없기 때문일지도 모르겠다.

"우리가 너무 무모하게 나선 것일까? 집 짓는 게 그렇게 힘든 일일까?"

내가 걱정 섞인 질문을 하니 세상 걱정 없는 봄이 아빠는 이렇게 말하며 근심을 덜어주었다.

"왜 10년 늙는다고 하는 것 같아? 내 생각엔 건축주가 모르는 게 많을수록 그렇게 느낄 것 같아. 건축 용어가 너무 생소하잖아. 일본식 용어도 많고. 건축주가 잘 모르니 시공사가 저렴한 자재를 쓰고 비용은 고가로 청구해도 알 수가 없으니까. 그런 답답한 부분이 하나둘 쌓이면 '아이고, 집 짓다가 다 늙는다'라는 말이 나오는 거 아닐까?"

봄이 아빠는 대체로 둔감한 사람인데, 가끔 현상의 문제점을 날카롭게 꿰뚫어 볼 때가 있다. 10년 늙는 이유를 분석한 봄이 아빠 생각에 전적으로 동의했다. 그래서 공부를 시작했다.

아이를 재우고 나면 집짓기, 주택 살이 관련 TV 프로그램을 검색해 모조리 다 보았다. 특히 방송인 노홍철과 배우 엄지원 씨가 MC를 맡아 판교, 제주, 양평 등 다양한 지역의 특별한 집을 소개하고 집주인들의 소소한 일상을 전했던 tvN <이집 사람들>에서 영감을 많이 얻었다. '당신은 어떤 삶을 짓고 싶나요?'라는 부제에서 집을 짓는다는 것이 단순히 물리적인 개체 하나를 완성하는 과정이 아니라 한 사람의 삶의 이야기를 쌓는 것임을 깨달았다. 소개된 모든 집이 예쁘기도 했지만 집마다 건축주 각각의 스토리가 녹아 있었다. 아이가 있는 집은 곳곳에 놀이터가 있었다. 차를 좋아하는 건축주는 주방에서도 차를 볼 수 있도록 주방과 주차장 사이에 유리벽을 세웠고, 마트에서 사 온 식재료를 곧바로 주방으로 옮길 수 있도록 문도 설치했다. 2층에 있는 아이와 1층에 있는 부모가 언제든 소통할 수 있도록 생각지 못한 곳에 유리창을 설치한 집도 있었다. 거실은 큰 창이 있어 전면부가 개방적이어야 넓고 좋은 집이라고 생각한 내 통념을 확 깨주는 집도 있었다. 천장이 가까운 위치에 세로는 짧고, 가로는 긴 창을 설치해 마치 창 너머 풍경이 거실 액자인 것처럼 만들었다.

"데크 안에 모래놀이 공간이 숨어 있는 거 너무 좋다. 언뜻 보면 그냥 바닥인데, 뚜껑을 찾아 열면 움푹 들어간 공간이 있고, 그곳에 장난감이 가득 차 있다면 봄이가 너무 좋아할 것 같아."

"2층에서 1층이 다 보이는 곳에 네트망을 설치하면 구름 위에 떠 있는 기분이 들고, 봄이 친구들이 놀러 오면 재밌어 할 것 같아."

"윽, 난 그거 무서워. 봄이는 좋아할 텐데. 위험할까 봐 걱정되네. 선뜻 내키지 않아."

TV를 보며 많은 대화를 나눴다. 사랑을 속삭이는 드라마나 영화를 함께 보지 않더라도 사랑이 샘솟았다. 관점을 바꾸면 같은 경험도 다르게 느낄 수 있다. 우리 삶을 어떻게 지을 것인지 이야기 나누며 꿈과 사랑을 키웠다.

도서관에서 책을 있는 대로 빌렸다. '집짓기, 단독주택, 주택, 인테리어, 상가주택'으로 검색해 나오는 책 30여 권을 찾았다. 건축가가 쓴 책이 가장 많았고, 그다음은 시공사가 쓴 책이었다. 건축주가 쓴 책이 양은 적었지만 마음에 더 와닿았다. 내가 닥칠 일을 앞서 겪은 선배의 고마운 조언이 채워져 있었다. 그들의 경험을 바탕으로 시행착오를 겪지 말아야겠다고 생각했다. 건축주들이 잘 몰라서 당한 고초를 보면 화가 났다. 시공사는 집을 짓는 일이 생업이다. 당연히 건축주는 시공사보다 잘 모른다. 집 짓는 현장에 시공사만큼 머물 수도 없다. 그래서 일생일대 가장 큰 소비를 하며 시공사에 건축을 맡긴다. 그런데 시공자가 양심을 저버리거나 관행에 따라 설계와 다른 시공으로 문제가 생긴 경우가 종종 있었다.

"단계마다 제대로, 정직하게 할 수는 없는 걸까? 다들 자기 자리에서 맡은 일을 제대로만 하면 문제가 생기지 않을 텐데, 왜 '제대로'가 그렇게 어려운 일이 된 것일까?"

봄이 아빠와 이 부분에 관한 대화도 많이 나눴다. 책을 많이 읽어도 건축 과정이 머릿속에 들어오지 않았다. 집 짓는 강의가 있다면 들어보고 싶었다. 때마침 봄이 아빠가 자주 들어가던 재테크 온라인 카페에서 건축주 직영 강의 소식을 접했다.

"회사 다니다가 그만두고 상가 건물 신축하는 분인데 건축주가 직접 건축할 방법을 알려주는 강의인 것 같아."

"건축주 직영? 그럼 시공사 없이 건축주가 직접 도면 확인하고, 작업자 관리하며 집을 짓는 거야?"

"응. <전원속의 내집> 잡지를 보니 건축주가 직영으로 한 집도 가끔 보이더라. 모든 가능성을 열어놔야지. 같이 강의 듣는 거 어때? 11월 마지막 주 토요일인데, 그때 강의 듣고 공오스튜디오 들러서 건축 설계 계약도 하면 될 것 같아."

금요일 퇴근 후 곧바로 KTX역으로 갔다. 봄이를 데리고 처음으로 타는 열차였다. 우리 가족은 여행을 떠나듯 설렜다.

• KTX를 기다리는 중

김포에 사는 오빠네에 봄이를 맡겨 두고 우리는 서울 강의장으로 갔다. 춥고 비가 내리는 궂은 날씨였지만 강의장에는 사람들이 빽빽하게 앉아 있었다. 주말을 반납하고 더 멋진 미래를 준비하는 사람들이 이렇게나 많았다. 나처럼 몇 시간 기차나 버스를 타고 서울에 온 사람도 있을 듯했다. 강의 제목은 '직영건축으로 꼬마빌딩 재테크하자'였다. 건축을 한 번도 해보지 않은 사람들이 간접 경험해 볼 수 있는 좋은 강의였고, 교재도 알찼다. 이후 강사님의 밴드를 통해 지속해서 직영 건축 관련 정보를 얻었다. 봄이 아빠는 자신감을 갖게 되었다.

"나도 직영으로 집 지을 수 있을 것 같아."

“그런데 우리 집은 보통의 상가주택처럼 단순한 외관이 아니라서 건축 골조 올리는 난이도가 꽤 높을 것 같은데, 직영 건축이 가능할까?”

“조금 어려울 수 있겠지만 도면대로만 하면 되니까. 목수를 잘 만난다면 못 할 것도 없지, 뭐.”

대답하는 봄이 아빠의 입매에서 왠지 굳은 결의 같은 게 느껴졌다.

그렇게 TV 프로그램을 섭렵하고, 책을 읽고 강의를 들으며 집 짓고 10년 더 젊게, 행복하게 살겠다는 의지를 키웠다.

"안목을 높이기 위해 북유럽으로 여행을 떠나다"

"봄이 아빠, 착공 들어가기 전에 여행 한 번 다녀와. 지금까지 한 번도 한 달 정도 푹 쉬어본 적 없잖아. 이번 기회에 다녀오지 못하면 앞으로 몇 년간 시간 내기 힘들 거야. 건축, 인테리어 공부할 겸 북유럽 다녀오는 거 어때?"

지인 몇 명이 봄이 엄마를 '마더 테레사'라고 불렀다. 회사 그만둔 남편한테 한 달이나 여행 다녀오라는 아내가 전국에 얼마나 있겠냐며 놀랐다. 그런 아내 덕분에 2018년 1월 북유럽으로 건축 여행을 떠났다. 나는 어떤 사람인지, 앞으로 어떻게 살아야 할지 인생 방향을 고민했다. 북유럽의 다양한 가정집에 머물며 인테리어 안목을 키웠다. 다채로운 디자인의 건축물을 접했고, '보르네오 프로젝트'의 모티브가 된 네덜란드 보르네오섬에도 가 보았다.

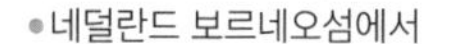

• 네덜란드 보르네오섬에서

• 8House 앞에서

덴마크 코펜하겐의 외레스테드 Orestad 지역을 여행한 이야기로 시작하겠다. 사전 조사를 대충하고 떠난 여행이라 그 지역이 어떤 곳인지 잘 몰랐다. 숙소에서 아침을 먹고 덴마크 건축 센터에 갔는데, 입구에 비치된 책을 펼쳐 보고는 깜짝 놀랐다. 전날 별생각 없이 '아, 예쁘다' 하며 촬영한 건물이 책에 나와 있었고, 건축학적으로 굉장히 뛰어난 건물이라는 것을 알게 되었다.

외레스테드에서 본 건축물 중 가장 인상적이었던 것은 '8 House'다. 이름대로 8자 형태의 건물로 남서쪽을 낮춰 일조권과 조망권을 확보했다. 딱 봐도 남다른 디자인이 시선을 사로잡았다. 아파트는 모두 네모반듯한 줄 알았던 나는 신선한 충격을 받았다. 디자인뿐만 아니라 채광이라는 중요한 요소를 놓치지 않기 위해 건물의 높낮이를 다양하게 한 것이 역동적인 느낌을 주었다. 건물이 마치 살아있는 것 같다는 생각이 들었다.

• 8 House

다음으로 찾은 'VM House'는 이름처럼 전면은 V자, 후면은 M자 모양으로, 전면부 발코니가 모두 삼각형이다. 다세대 주거 공간이지만 어느 집 하나 똑같은 모양이 없었다.

'THE MOUNTAIN'은 멀리서 보면 마치 완만한 동산처럼 보이는 아파트다. 이 건축물의 특징은 전체 면적의 3분의 1만 주거용이고, 나머지가 주차장이라는 점이다. 주차장은 주거 공간과 효율적으로 연결된다. 주거에 최적의 채광과 전망을 확보하는 데 초점이 맞춰졌다고 한다.

• 일조권과 조망권 확보에 중점을 둔 8 House

국내 아파트는 밖에서 보면 자로 잰 듯 모든 집이 네모반듯하고 똑같다. 개성이라고는 눈 씻고 찾아볼 수 없다. 하지만 덴마크의 아파트들은 커뮤니티 시설, 관리사무소 등 공동 주거의 장점은 살리면서 사는 사람의 다양성을 담고 있다. 우리도 수익률을 높이기 위한 건축만 생각할 것이 아니라 집에 사는 '사람'에 집중한 건축을 했으면 좋겠다.

• VM House & The Mountain(©big.DK)

숙소는 대부분 현지 가정집을 선택했다. 우리나라 사람들이 좋아하는 북유럽 인테리어의 실체를 보고 싶었다. 과연 기대 이상이었다. 북유럽의 5개 국가 10개 도시에 머물며 10곳의 가정집에서 지냈는데, 공통적인 특징이 있었다. 벽은 대체로 도장 마감에 몰딩이나 걸레받이가 없고, 그림을 걸어 포인트를 줬다. 우리나라처럼 밝은 백색 전등은 잘 쓰지 않고, 주황빛 LED 조명으로 아늑한 분위기를 연출했다. 집마다 유명 디자이너의 오리지널 조명 기구가 한 개쯤 있는 것으로 보아 조명에 힘을 주는 편이었다. 심플하고 군더더기 없으면서도 액자나 꽃을 배치해 분위기를 살리는 게 북유럽 인테리어의 핵심으로 보였다.

• 북유럽에서 머물렀던 가정집

스웨덴 스톡홀름 노디스카 갤러리엣 Nordiska Galleriet 은 디자이너들이 직접 선정한 수준 높은 인테리어 제품을 만날 수 있는 곳이다. 우리나라에서 유행하는 북유럽의 조명, 소품, 가구의 오리지널 제품이 거의 모여 있다. 프리츠 한센 의자를 실제로 보니 카피 제품이 따라 할 수 없는 정교함과 고급스러움이 느껴졌다. 가격은 물론 높았지만, 하나하나마다 철학이 담겨 있었다. 잘 모르는 내가 봐도 장인 정신이 느껴졌다. 그곳에서 '좋은 상품은 가격이 비싸더라도 그 가치를 알아보는 사람들이 찾는다'는 깨달음을 얻었다. 이런 생각이 우리 집을 수익률이 아닌 '가치'의 관점으로 접근하게 하는 데 영향을 미쳤다.

북유럽에 다녀온 후 몇 가지 경험을 더 했다. 실내 인테리어 기사 자격증 시험 준비를 했고, 가구 제작을 배웠다. 자격증은

실기 시험에서 간발의 차이로 불합격했지만, 그간 해 온 공부 덕분에 설계 도면을 읽을 수 있었다. 가구 제작 기초를 배워 이사 전 살던 집의 가구 몇 개를 직접 리폼해 가구 구입 비용을 아낄 수 있었다. 실습 때 만든 바퀴 달린 책장과 토끼 모양 화장대를 딸아이에게 선물했다. 사람들이 집에 놀러 오면 아빠가 만든 것이라며 꼭 자랑이다.

"봄이 집도 아빠가 지었고요, 이것도 저것도 아빠가 만들었어요."

이렇게 말하며 아빠를 치켜세워 준다. 아이에게 자랑스러운 아빠가 된 것 같아 뿌듯하다.

목공 학원에도 다니며 집을 지을 때 목수들이 어떻게 일을 하는지 알아볼 수 있었고, 도면과 달리 시공되는 부분도 찾아낼 수 있었다. 모든 활동이 집짓기를 염두에 두고 한 것은 아니었다. 하지만 모두 집짓기에 도움이 되었다. 사소한 움직임 하나가 쌓이면 큰 변화를 이룰 수 있다.

• 직접 만든 토끼 화장대와 목마

PART 2

흔히들 집 짓고 늙었다고 토로한다. 그만큼 곤란하고 신경 쓰이는 일들이 많다는 얘기. 어떻게 땅은 계약했으나, 당장 세입자 이전과 문화재 발굴 조사로 삐걱댄다. 게다가 봄이 아빠는 직접 현장 소장으로 나서서 공사를 진두지휘하게 되는데…

10년 늙는다더니

#08

잘못은 매도인이 했는데

2017년 11월에 계약했고, 잔금일은 2018년 1월 말로 정했다. 잔금을 치르고 소유권이 넘어오는 시기에 맞춰 차근차근 일을 진행했다.

등기부등본상 내 땅이 되면 구옥 철거부터 해야 한다. 철거 견적을 받고 잠정적으로 업체를 정해 두었다. 철거한 다음에는 측량, 문화재 발굴 및 조사, 지내력 검사로 이어진다. 지내력 결과에 따라 지질 조사를 추가로 해야 할 수도 있다. 2월 초 철거, 2~3월 문화재 발굴, 지내력 검사를 거쳐 늦어도 4월에 착공하고 8월에는 완공해 9월에 입주하는 계획이었다. 남편 사업장을 열어야 했다. 그래서 완공 일정은 우리 가정 생계와 직결된 문제였다. 계획대로만 착착 진행된다면 불가능한 일정은 아니었다. 물론 중간 변수에 따라서 얼마든지 늘어날 수도 있다. 빈틈없이 꽉 채워진 일정이지만 그래도 순조롭게 진행될 것이라고 기대했다. 그러나 당장 첫 단계부터 문제가 생겼다.

잔금 일정에 맞춰 12월, 1월 두 달 동안 부지런히 설계했다. 내 소유의 땅이 되면 곧바로 정해진 단계를 진행할 수 있도록 만반의 준비를 했다. 잔금일을 일주일 정도 앞두고 아빠에게 전화가 왔다.

"다른 세입자는 이사 나가는 것을 봤는데, ○○가스는 나갈 기미가 보이지 않아. 내가 사장에게 물어봤더니 자기는 아직 나갈 수 없다면서 태연한 반응이야. 땅 주인과 통화를 좀 해봐야 할 것 같더라."

땅을 매입하기 전 매도인에게 세입자 계약 부분을 모두 확인했다. 다른 집은 계약이 만료된 상황이었고, 1층 상가만 계약 기간이 3년쯤 남아 있었다.

"아, 그거 상관없어요. ○○가스 사장이 동생 친구라서 예전부터 알고 지내는 사이인데, 내가 진작부터 집 팔 거라고 했어요. 팔리면 언제든 상가에서 나가기로 약속하고 쓴 계약서예요. 1월 말까지 정리해 달라고 얘기할게요."

땅 주인과는 서로 중개 수수료를 아끼고자 직거래를 했다. 물론 계약서는 작성했지만, 어설프게 아는 사이라는 인정에 끌려 편하게 하려던 것이 문제였다. 매도인과 매수인 사이에 일어나는 일을 원활하게 풀기 위해 중개 사무소가 존재한다.

그런데 우리는 중개 사무소를 거치지 않고 계약을 한 것이다. 그래서 우리가 직접 매도인과 소통해야 했다.

"상가 세입자가 나가지 않고 있던데, 어떻게 된 건가요? 다음 주에 잔금 치를 상황이 아닌 것 같은데요?"

"그래요? 1월 말까지 나가달라고 얘기했는데…. 제가 전화해 볼게요."

며칠 뒤 매도자에게 전화가 왔다.

"세입자가 4월 정도까지 시간을 달라고 하는데…. 도저히 안 되겠다고 하네요."

"네? 4월이라고요?"

예정대로 계약해도 발굴 일정 때문에 4월은 되어야 착공이 가능했다. 그때까지 기다렸다 장마철에 걸리면 시간은 또 늦어진다. 봄이 아빠 사업장 오픈 때문에 안 된다고, 매도자에게 빨리 내보내 달라고 부탁했다. 처음에는 당장 내일이라도 자기가 세입자를 직접 만나 담판을 지을 기세였다. 무심하게 흘러가는 날짜를 보며 초조했다. 당시 우리 부부의 화두는 '매도자에게 전화가 왔는지'였다. 그쪽에서 먼저 연락하는 일은 없었다. 일주일쯤 기다리다가 전화해 보면 '바빠서 전화를 못 해봤다, 일 때문에 봉황동에 가 볼 시간이 없었다'는 대답뿐이었다. 돌아가는 사정이 지금까지 세입자에게 연락해 보겠다고 말만 하고 아무 연락도 하지 않은 듯했다.

이 상황은 누가 봐도 매도자에게 잘못이 있었다. 우리가 계약을 파기하면 매도자는 계약금의 두 배를 물어줘야 한다. 파기하는 게 나을 수도 있는 상황이었지만, 우리는 그럴 수 없었다. 이미 설계가 끝난 상태였다. '을'이 되어 버린 우리는 몇 주간 조심스럽게 매도자에게 부탁했다. 네 번째쯤 전화를 걸었을 때, 매도자는 이 일 때문에 스트레스 받아서 병원에 입원까지 했다는 것이다. '이제 나도 모르겠다'라는 식이었다. 속으로 화가 치밀어 올랐다.

"하…, 미치고 팔짝 뛸 사람이 누군데…. 입원을 진짜 한 건 맞아?"

"우리가 화내면 일이 꼬여. 참자. 입원해 있다는 사람한테 무슨 말을 하겠어. 일단 건강 잘 회복하라고 말씀드리고 퇴원하고 나면 그때 다시 연락해 보자."

그 땅을 권했던 친척 어른과 아빠도 난감해하셨다. 아빠는 동네에 오래 살았기 때문에 아는 사람이 많았다. 1층 상가 세입자와 친구라는, 매도자의 동생도 알고 있었다.

"아빠가 목욕탕에 갔다가 매도자 동생을 만나 그간의 일을 전했다. 우리 딸이 그쪽 누님의 땅을 샀는데, 거기 상가 세입자가 안 나가서 딸이 마음고생이 이만저만 아니라고…. 세입자와 친구라고 들었는데 일이 어떻게 돌아가고 있는지 좀 알아봐 달라고 얘기했다. 누님이 병원에 입원해 계셔서 전화 드리기도 그래서 부탁한다고 했어."

말씀하시는 아빠 얼굴이 푸석해 보였다. 서로 다 아는 사이고 하니 직거래로 하자고 제안한 게 아빠였다. 그로 인해 괜히 딸이 고생한다고 자책하시는 것 같았다. 하지만 누구의 잘잘못인지를 따질 때가 아니다. 중요한 건 모든 일정이 몇 개월 늦어지게 되었다는 점이다. 몇 개월 밀리게 될 일정의 나비효과가 얼마나 클지 알 수 없는 상황이었다. 발굴과 장마철이라는 큰 변수가 있기 때문이다. 그렇게 약속한 잔금 지급 날짜로부터 3주의 시간이 흘렀다.

#09

솟아날 구멍을 찾아서

매도인의 대응이 갈수록 태산이었다. 한 번만 더 '세입자 언제 나가냐?'고 물으면 '차라리 땅 안 팔고, 받았던 계약금 두 배로 돌려주마'라고 나올 것 같았다. 주위 시세보다 저렴했기 때문에 충분히 그럴 수도 있었다. 매도인을 통해 세입자를 내보내는 건 불가능할 것 같았다. 일이 해결될 때까지 기다리든지, 목마른 우리가 우물을 파든지 둘 중 하나밖에 선택지가 없는 상황이었다.

'세입자는 4월 중순에 상가를 비울 수 있다고 했다. 하지만 더 연기될 가능성이 있다.'

'착공 들어가기 전 철거를 해야 하고, 문화재 발굴도 해야 한다. 발굴에도 순번이 있어서 발굴 신청이 늦어질수록 대기 기간도 길어진다.'

'건축 인·허가 서류를 접수하려면 토지 소유권이 우리에게로 넘어와야 한다. 서류가 한 번에 통과되지 않을 수 있다. 시청에서 반려하면 수정하고 보완해서 다시 서류를 접수하는데 또 시간이 지연된다.'

흩어져 있는 문제를 머릿속에 정리해 보았다. 시간이 없었다. 돌파구를 찾아야 했다. 주위에서 비슷한 일을 겪은 사람이 없다. 집짓기 책을 많이 읽었지만 이런 에피소드는 없었다. 봄이 아빠와 책 몇 권과 노트북을 들고 조용한 카페로 갔다. 인터넷 검색과 책을 통해 방법을 찾고자 했다. 책을 읽어 내려가던 중 동공이 커졌다. 의기양양한 표정으로 봄이 아빠에게 말했다.

"방법을 찾았어! 이거면 시간을 좀 벌 수 있겠어."

"뭔데? 뭘 찾았어?"

"토지사용승낙서"

봄이 아빠는 빠르게 검색을 시작했다.

"토지사용승낙서는 토지 소유주가 타인이 본인의 토지를 사용할 수 있도록 승낙하는 내용을 작성한 문서를 말한다. 토지 소유권자가 소유권 등기이전 없이 조합이나 사업대행사 등 사업 시행 주체에게 소유권자 본인의 토지를 사용해도 된다고 허락함을 나타내는 문서이다. 일반적으로 지구 단위 계획에 따른 건축 인·허가를 진행할 때 사전에 토지 소유주에게 토지사용승낙서와 인감증명을 요청하게 된다…."

토지사용승낙서를 받으면 인·허가를 진행하고 문화재 발굴

서류도 접수할 수 있다. 우린 매도자에게 승낙서를 받아 구옥 철거 전까지 할 수 있는 일을 최대한 처리하기로 했다.

걱정거리가 하나 더 있었다. 토지 매매 계약금이 3천만 원이었다. 중도금을 치르지 않은 상황에서 잔금 일정이 늦어지면 매도인 마음이 변할 수도 있을 것 같았다. 급한 건 우리지, 매도인이 아니었다. '세입자도 안 나가고 있겠다, 동네 인기가 높아지며 시세가 오르는 추세겠다, 그러니 계약금 두 배를 물어주고 계약을 파기하자'고 할지도 모르는 일이었다.

두 가지 조치에 들어갔다. 하나는 매도인에게 토지사용승낙서를 받는 것이고, 하나는 중도금을 치르는 일이었다.

"안녕하세요. 저희가 한 가지 제안을 드리려고 하는데요. 토지사용승낙서를 써 주시면 몇 가지 일을 처리할 수 있을 것 같습니다. 그리고 혹시 세입자가 이사 비용을 받으면 나가겠다는 생각은 아닐까요? 돈이 필요하시다면 승낙서 쓸 때 중도금을 5천만 원 입금할게요."

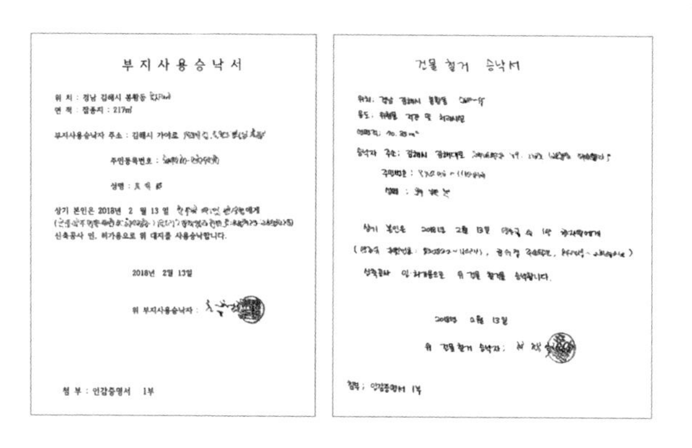

부 지 사 용 승 낙 서

위 치 : 경남 김해시 봉황동 [illegible]
면 적 : 잡종지 : 217㎡

부지사용승낙자 주소 : 김해시 가야로 [illegible]

주민등록번호 : [illegible]

성명 : [illegible]

상기 본인은 2018년 2 월 13 일 [illegible]에게
([illegible])
신축공사 인. 허가용으로 위 대지를 사용승낙합니다.

2018년 2월 13일

위 부지사용승낙자 : [illegible]

첨 부 : 인감증명서 1부

건물 철거 승낙서

위치: 경남 김해시 봉황동 [illegible]
용도: [illegible]
연면적: [illegible]
승낙자 주소: 김해시 [illegible]
주민번호: [illegible]
성명: [illegible]

상기 본인은 2018년 2월 13일 [illegible]에게
([illegible])
신축공사 인·허가용으로 위 건물 철거를 승낙합니다.

2018년 2월 13일

위 건물 철거 승낙자: [illegible]

첨부: 인감증명서 1부

중도금 이야기를 꺼내자 상대방의 어조가 누그러졌다. 만날 날을 정했다. 땅 소유자와 주택 소유자가 달랐기 때문에 두 분 모두 인감증명서와 인감도장을 꼭 챙겨와 달라는 부탁도 드렸다.

토지사용승낙서와 건물철거승낙서 두 장의 서류를 받았다. 중도금으로 5천만 원을 입금했다. 계약서에 중도금을 받았다고 쓰고, 도장을 찍어달라고 했다. 중도금은 법률 용어로 '이행의 착수'를 의미한다. 계약을 파기하지 않겠다는 쌍방 간의 약속 실행을 말한다. 이제 매도인이 계약을 파기할까 봐 염려하지 않아도 된다. 어느 정도 솟아날 구멍을 찾은 것 같았다.

그런데 얼마 뒤, 식사하다가 수저를 놓게 만드는 전화를 받았다. 매도인이었다.

"나 참, 세입자가 5월은 되어야 나갈 수 있다고 하네요. 가스 시설이라서 영업 허가받는 데 한참 걸린 다나…. 지금 사업장 열심히 짓고 있는데, 4월은 안 될 것 같다고 하네요."

가슴이 턱 하고 막혔다.

"저희도 서둘러 남편 사업장을 열어야 해요. 이렇게 계속 미뤄지면 생계를 잇기 힘들어요. 지금 사는 집도 9월에는 전세 만기예요. 그때까지 완공 못 하면 저희가 살 집도 없고, 남편 사업도 시작할 수 없어요. 제발 부탁드려요. 세입자분 빨리 좀 나가게 도와주세요."

4월에 나간다고 했다가 이제 5월. 자꾸 일이 미뤄지는 것 같았다. 초조했다. 매도자는 연락하겠다는 말만 하고 또 아무런 반응이 없었다. 통화할 때마다 애써 감정을 눌러왔는데, 결국 터지고 말았다.

"매도자께서 처리해 주시기로 약속하셨던 일인데, 이렇게 대처를 안 해주시면 어떻게 하죠?"

그랬더니 매도자가 화를 내며 말했다. 갑자기 말투도 반말로 바뀌었다.

"난 땅 안 팔면 안 팔았지, 이제 힘들어서 못 하겠다!"

"중도금 받으셨잖아요. 계약 파기하지 않겠다고 약속했기에 저희는 일을 진행했고요. 그러면 지금까지 진행된 부분에 대해 손해 배상해 주셔야 합니다."

처음으로 법적 용어를 써가며 말했다. 사실 그전에도 통화할 때마다 울화통이 치밀었지만, 심호흡 열 번 하고 늘 웃으며 말했다. 그런데 정말 이건 아니라는 생각이 들었다. 언제까지 당하고 있을 수만은 없었다.

"아니, 네가 그렇게 나오려고 중도금을 줬구나. 아이고~"

이게 누가 할 말인지, 중도금을 치르지 않았으면 어쩔 뻔했나 싶었다. 왜 이런 험한 꼴을 당하고 있는가 하는 자괴감이 들어 눈물이 났다. 봄이 아빠에게 전화했다.

"안 되겠어. 우리가 세입자분을 직접 찾아가 보자. 계속 매도인을 거쳐서만 이야기를 들으니 속내를 모르겠어."

대체 어떤 사람이기에, 이사 비용을 얼마나 많이 받아 나가려는 생각이기에 이렇게 우리를 힘들게 하는지 얼굴 한번 봐야겠다는 생각이 들었다. 연락처를 몰라 두 번 허탕을 쳤다. 가스를 싣고 여기저기 나가는 일이다 보니 자리를 비우는 일이 많은 것 같았다. 세 번째 방문 만에 겨우 만날 수 있었다.

난로 앞에 봄이 아빠, 나, 세입자 셋이 마주 앉았다. 커피를 한 잔 건네셨다. 손으로 감싼 커피잔만 만지작거리다가 힘들게 입을 뗐다. 얘기하다 보니 나도 모르게 눈물이 났다. 솔직히 고백하자면 처음에는 '눈물로 호소해 보자'는 생각도 조금은 있었다. 자기보다 조카뻘인 여자가 엉엉 울면서 부탁하면 마음이 흔들리지 않을까 싶었다. 그런데 막상 사정을 건네고 나니 진심으로 가슴속 깊은 곳에서 서러움이 올라오면서 눈물이 멈추질 않았다. 집을 짓기도 전에 산전수전 다 겪은 기분이었다. 남편의 갑작스러운 퇴사 선언, 남편의 사업장을 마련하기 위해 아파트를 처분하고 집을 짓기로 한 결심, 땅을 알아보던 수고, 건축 공부를 하기 위해 서울까지 힘들게 다녔던 일, 설계 과정에서 설렜던 일, 한껏 부풀었던 마음속 풍선이 잔금 일정 지연으로 쪼그라들면서 가슴이 타들어 간 시간이 영화 속 장면처럼 머릿속을 스쳐 지나갔다. 그간 억눌렸던 여러 감정이 한꺼번에 터져 나왔다. 가스 집 사장님은 자못 당황하신 것 같았다.

"저희 남편도 사업장을 열어야 해요. 아이도 어린데, 지금 수입이 없어 힘들어요. 5월은 너무 늦습니다. 정말 부탁드려요."

막상 만나보니 가스 집 사장님도 어떤 나쁜 의도가 있는 것 같지 않았다. 무슨 이유인지는 몰라도 사업장을 빨리 옮기기 힘든 사정이 있는 듯했다. 일정을 최대한 당겨 보겠다는 긍정적인 답변을 듣고 일단 돌아왔다.

얼마 후, 가스 집 사장님께 연락이 왔다. 3월 말까지 나가겠다고 하셨다. 매도인을 통해 들어야 할 말을 우리가 직접 들었다. 그리고는 이 소식을 매도인에게 전했다. 매도인도 '이제 살았다'는 반응이었다.

2018년 3월 말, 등기부등본에 소유자 이름이 드디어 바뀌었다. 이제 진짜 우리 땅이 된 것이다. 땅 소유권이 넘어오기까지 험난했지만, 방법을 찾아 나섰더니 무엇이든 돌파구가 생겼다. 집짓기의 험난한 여정, 그 첫 번째 관문을 넘어섰다. 그날 저녁 우리 부부는 조촐하게 치맥 파티를 하며 고생한 서로를 위로했다. 그리고 앞으로의 여정도 잘 헤쳐 나가자며 파이팅을 외쳤다.

#10

직영공사로 가는 결심

“이제 시공사를 알아봐야 할 것 같습니다. 부산, 경남 지역으로 기존 시공 사례를 검토해 시공사 선별 후 견적을 요청하려고요. 건축주께서도 괜찮은 시공사가 있는지 함께 알아봐 주시면 좋겠습니다.”

설계가 끝났다. 땅 소유권도 우리에게 넘어왔다. 시공사를 알아보기 위해 공오스튜디오 소장님과 함께 움직이기 시작했다. 소장님들이 선별한 시공사 두 군데, 우리가 알아본 시공사 한 군데, 총 세 곳의 시공사에 견적을 요청했다. 견적 요청 결과 각 8억, 7억, 5억6천만 원이었다.

“8억? 그 돈이면 우리 상황으로는 안 될 것 같은데…. 어떻게 해야 할까? 그리고 왜 이렇게 견적 차이가 큰 거야?”

"그래서 나도 분석을 해 봤는데…."

A종합건설사는 부가세 포함 8억 원인데 측량비, 지내력 시험비, 한전 불입금, 가구 공사 비용은 불포함이었다. A는 잡지에 나오는 멋진 주택을 꽤 많이 지은 곳이었다. 우리 집 설계가 평범하지 않은데, 기존 시공 사례를 보니 믿고 맡길 수 있을 것 같았다. B종합건설사는 부가세 포함 5억6천만 원이고 측량비, 지질 조사비, 등기구, 위생기구 자재비, 가구 공사가 포함되지 않은 견적이었다. 언뜻 보면 불포함 내역까지 계산해도 A가 한참 비싼 견적을 제시한 것 같지만, 꼭 그렇지도 않았다. A는 창호 견적이 9천만 원이고 B는 4천만 원이었다. 창호의 브랜드와 단열 등급을 알 수 없기 때문에 비교가 어려웠다. 만약 A가 최고급 사양 자재로 낸 견적이고, B는 최저급 자재의 견적이라면 B가 저렴하다고 단정 지을 수 없었다.

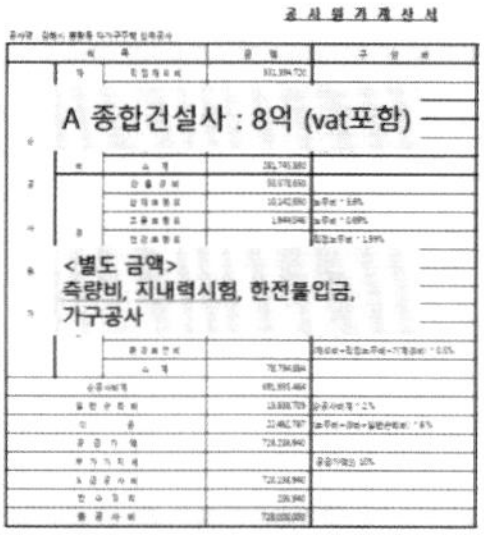

A 종합건설사 : 8억 (vat포함)

<별도 금액>
측량비, 지내력시험, 한전불입금, 가구공사

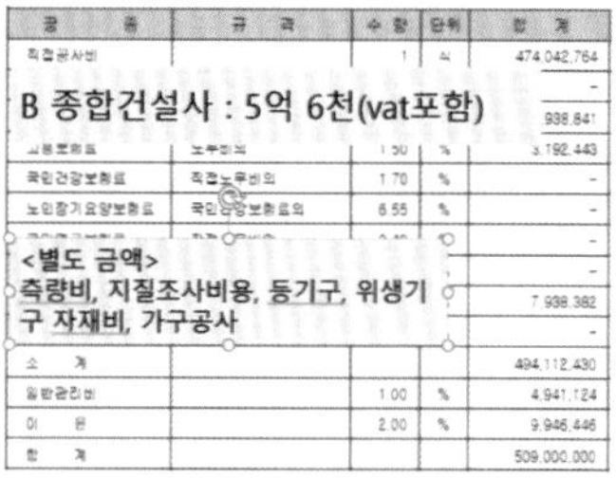

B 종합건설사 : 5억 6천(vat포함)

<별도 금액>
측량비, 지질조사비용, 등기구, 위생기구 자재비, 가구공사

그 무렵 <전원속의 내집> 잡지에 실린 인근 지역의 단독주택 기사를 접했다. 우리 집에 적용할 폴리카보네이트로 일부

를 마감한 집이었다. 집 외관이 독특하게 멋있었고, 폴리카보네이트를 통해 내부 빛이 밖으로 퍼져 나오는 야경도 시선을 사로잡았다. 봄이 아빠는 혹시 건축주가 블로그를 운영하고 있는지 검색했다.

"찾았다! 그 집, 블로그가 있어. 어젯밤에 건축주가 쓴 글 쭉 읽어봤는데 집 지으며 고생 많이 하셨더라. 한번 찾아뵙고 싶다고 댓글 남겼어."

잡지에 실린 멋진 집. 그런 집에 사는 사람들은 어떤 모습일지 궁금했다. 집 지으며 어떤 에피소드가 있었는지도 듣고 싶었다. 그리고 자기 삶이 담긴 주택에 먼저 살고 있는 선배는 주택 살이를 어떻게 생각하는지 물어보고 싶었다. 그 간절한 바람이 그분께 닿았다. 집에 초대하겠다는 연락을 받았다. 과일 한 상자를 샀다. 무례한 방문이 되지 않도록 조심하며 초인종을 눌렀다.

현관문을 열고 들어가자 곧바로 세면대가 있는 작은 화장실이 있었다. 샤워는 할 수 없고 세면대와 위생기구만 놓였다. 밖에서 들어오면 곧바로 손을 씻고 집 안으로 들어가는 구조였다. 화장실에서 나와 막다른 복도 끝에서 오른쪽으로 돌면 주방과 2층으로 올라가는 계단이 보였다. 1층에는 화장실과 주방뿐이었다. 주방문을 열면 마당으로 곧바로 이어지는 구조였다. 주방에 상부장이 없는 기다란 원목 싱크대가 놓여 있었다. 싱크대 길이만큼 긴 식탁이 있었고, 야외에서도 쓸 수 있는 커다란 난로가 있었다. 2층에는 거실을 중심으로 양쪽으로 공간이 분리되었는데, 한쪽 공간만 보여주셨다. 모든 문이 문틀 없이 슬라이딩 도어가 설치되어 문을 다 열면 방이 하나가 되는 느낌이었다. 독특한 구조에 가족의 라이프스타일이 세밀하게 반영되었다.

"집 지을 때 얼마나 고생했는지 몰라요. 짓기 어렵게 설계했다고 시공자가 어찌나 투덜거리던지…. 골조 완성하는 데만 한참 걸렸어요. 작업하다 목수들이 힘들어서 못 하겠다며 갑자기 안 나오는 거예요. 그래서 현장이 몇 개월 멈추기도 했어요. 답답해서 제가 회사에 휴가를 내고 직접 현장소장이 되었죠. 내부 인테리어가 완성되지 않은 상태로 입주했어요. 그래서 지금 거실 반대편 공간도 아직 공사 중이에요."

건축주는 손재주가 좋은 것 같았다. 싱크대도 직접 제작한 데다 공사가 덜 된 내부 목공사를 손수 하고 있었다. 목수팀을 잘 만나야 한다는 점, 실내 페인트 도장이 예쁘긴 하지만 때가 잘 탄다는 사실, 주택은 살면서 계속 고쳐가야 한다는 마음가짐이 필요하다는 소중한 교훈을 배워 왔다.

서울 용산구 후암동에 주택을 지은 이야기를 담은 책 <우리가 만약 집을 짓는다면>에서도 공사 중 시공사가 사라진 대목이 있었다. 계약한 공사기간인 4개월이 넘었다고, 골조만 끝난 상황에서 시공사가 떠난 것이다. 책의 저자이자 건축주는 집을 완성하지 못했으니 계약 위반이라고 생각했다. 반면 시공사는 도급 계약이 잘못됐고 견적도 잘못돼 더 공사를 못 하겠으니 알아서 하라는 식이었다. 1층에 스티로폼으로 바람을 막은 임시 사무소를 만들어 부부가 직영으로 남은 공사를 마무리했다는 이야기였다. 아내가 실내 건축 디자이너라서 아무것도 모르는 보통의 건축주보다는 상황이 조금 나았다고 생각할 수 있지만, 그들의 고생담을 읽다 보니 나도 눈물이 날 것 같았다.

"집을 지으면서 여실히 깨달은 점이 있다면, 우리나라의 주택 시장은 비용과 규모가 전부라는 현실이었다. 최소한의 비용으로 최단 시간 안에 최대한의 공간을 만들어내는 것에만 초점이 맞춰져 있다. 자신만의 삶과 가치를 담아낸 공간을 만들려는 건축주들은 늘어가지만 그런 것에 관심 있는 시공자는 별로 없다. 건축주들이 정말로 원하고 필요로 하는 것들을 모르니 당연히 불협화음이 생길 수밖에 없다."

[권희라&김종대, 「우리가 만약 집을 짓는다면」, 리더스북, 192~193p]

우리가 감당할 수 있는 공사비는 5억 원대였다. 가능하면 더 줄여야 했다. 시공사에 맡기면 적어도 6억 원 이상 소요되는 상황이었다. 봄이 아빠 마음이 점점 건축주 직영 공사로 기울고 있었다. 봄이 아빠는 회사를 그만두고 인테리어 시공을 배우기 위해 목공 학원에 다닌 적이 있다. 그때 만난 박 사장님에 대해 이야기를 했다.

"그분은 종합건설사에서 20년간 근무했고, 지금은 그 건설사에서 나와 작은 시공사를 운영하고 계셔. 오래 보지 않았지만 믿을 만한 성품으로 느껴져 짐짓기 상담을 한 적이 있어. 공사를 하면 본인이 도와줄 수 있다고 했는데, 어쩌면 좋은 인연이 될 것 같아."

봄이 아빠는 박 사장님과 몇 차례 더 만났다. 자신이 거래하는 작업팀을 우리 현장에 붙여 주고, 아침마다 현장에 와서 시공 상황을 점검해 주시기로 했다. 봄이 아빠가 현장소장이 되어 공사를 진행하고 박 사장님이 멘토 역할을 하는 것이다. 보통의 건축 현장은 설계사가 시공사에 도면을 넘겨주고 건축주는 때때로 건축 현장에 들러 점검한다. 하지만 우리 현장은 조금 다른 모습을 갖게 되었다. 봄이 아빠가 설계 도면을 공부하고 직접 인부들을 지휘하며 공사 현장을 감독하기로 했다.

'우리가 잘 해낼 수 있을까?'

'그럼에도 불구하고 우린 잘 해낼 거야.'

굳이 말하지 않아도, 우리 눈빛은 서로를 믿고 응원하고 있었다.

#11

아낄 수 있는 방법은 모조리 다

건축주 직영 건축을 결정한 봄이 아빠의 첫 번째 미션은 '철거'였다. 건축물을 다 부수기 전에 반드시 확인할 것이 있다. 1급 발암물질로 지정된 석면 구조물이다. 땅 안에는 전면부 2층 건물 뒤로 석면 슬레이트 지붕의 단층 건물이 하나 더 있었다. 건물을 허물기 전에, 전문업체에 맡겨 지붕을 해체하고 석면은 따로 철거해야만 했다.

• 석면 슬레이트 지붕이 있는 건축물

건축비를 충당하면서 예상치 못한 곳에 다양한 지원 사업이 있다는 걸 알게 된 후, 우리는 비용을 아낄 방법을 모조리 찾아봤다. 석면 슬레이트 철거비 지원 사업이 눈에 들어왔다. 지자체에서 매년 초 신청을 받아 선착순으로 지원하는데, 당시는 땅 소유권이 우리에게 넘어오지 않은 상태였다. 소유권자만 철거비 지원 사업을 신청할 수 있기에 매도인에게 부탁했다.

"헉, 우리 대기 1순위래."

남편에게 전화가 왔다. 우리 지역의 경우 1년에 30가구를 지원하는데2018년 기준, 우리가 31번째로 신청한 것이었다. 해체 비용은 대략 500만 원이 드는데, 시에서 가구당 336만 원을 지원해 준다. 이는 약 40~45평156m² 규모의 슬레이트를 철거하는 비용이다. 다행히 포기자가 나와 우리는 석면 철거비로 140만 원 정도만 추가 부담했다.

• 석면 슬레이트 지붕 제거 후 모습

철거 당일, 보호복으로 무장한 작업자 두 분이 와서 슬레이트 지붕 하나하나 깨지지 않도록 조심해서 옮겼다. 생각보다

시간이 오래 걸렸다. 지붕을 다 들어내고 나니 오래된 무허가 건축물의 속살이 드러났다.

이제 정말 시원하게 '다 때려 부수는 작업'만 남았다. 철거 업체 선정을 위해 사전에 몇 군데 견적을 받았다. '안전 가시설[5], 철거 공사, 폐기물 처리, 석면 해체 공사, 공과 잡비'라는 항목으로 나누어 견적을 제시했는데, 한 업체의 견적에 눈길이 갔다.

"고재 환수? 이게 뭐지?"

한자라서 어려우니 쉽게 풀어 생각해 보았다. 오래되었더라도 재활용이 가능한 재료에 대해 환급금이 있다는 의미였다.

"각종 고철은 녹여서 다시 쓸 수 있으니 고물상에 팔 수 있어. 그런 비용을 계산해서 환급해준다는 말인 것 같아."

"그런데, 석면 슬레이트 지붕 해체했는데, 석면 슬레이트가 또 남아 있어?"

"예전에 지은 집은 천장에도 석면 슬레이트가 들어갔나 봐. 그거 제거하는 비용이야."

봄이 아빠의 설명을 들으며 항목별로 비교해 보니 고재 환수 비용을 포함해 제시한 업체가 마음에 들었다.

---

5) **안전 가시설** : 건축물 공사 시 재해 예방을 위해 설치하는 가설 공사로 개구부 덮개, 작업 발판, 비계, 추락 및 낙하물 방지망 등을 말함

• 철거 전 분진망 설치를 위한 기초 작업

• 분진망 설치

• 철거 중인 포크레인과 살수 작업

• 바닥 평탄화까지 완료한 상태

철거 당일 이른 아침부터 분진망 설치를 위한 기초 작업을 하고 본격적으로 분진망을 꼼꼼하게 설치했다. 주택 밀집 지역이기 때문에 작은 파편도 튀면 안 된다. 포크레인으로 쿵쾅거리며 큰 소리를 내면 민원이 생길 수 있으니 '크러셔Crusher'라고 하는 집게발로 진동과 소음을 최소화하며 작업했다. 물을 뿌리면서 먼지도 발생하지 않게 노력했다. 하루 만에 건물이 철거되었고, 다음 날은 폐기물을 정리했다. 건물 아래 남아 있는 기초까지 깨끗하게 제거하고 바닥 평탄화를 마치니 땅의 민낯이 드러났다. 집짓기 과정에서 희열을 느꼈던 순간을 꼽으라면 구옥을 철거한 날이 세 손가락 안에 든다. 발걸음으로 공간의 크기를 재며, 텅 빈 땅에 설계한 집을 올리는 상상을 펼쳤다.

철거 과정에서 2톤의 고재가 나왔고, 견적에서 60만 원이 빠졌다.

'철거했으니 경계 측량을 하고, 다음에는 발굴과 지내력 조사….'

단계마다 비용을 아낄 방법이 있는지 알아보았다. 경계 측량에서는 절약 포인트를 찾지 못했다. 다음은 발굴이다. 발굴은 국비 지원을 받을 수 있다. 당시2018년만 해도 국비 지원을 받으려면 건축 연면적의 제한이 있고, 내 순번이 올 때까지 기다려야 했다. 2021년 현재 단독주택의 경우 건축 연면적 제한은 없다. 하지만 순번이 올 때까지 오래 기다려야 하는 사실에는 변함이 없다. 봄이 아빠 사업장 오픈 시기 때문에 마음이 초조했다. 또 발굴 비용을 지원받기 위해 연면적을 제한 면적에 맞추는 것이 내키지 않았다. 그래서 사설 발굴 기관을 방문했다. 발굴 일정과 비용을 알아보기 위해서다.

"먼저 발굴 단계를 말씀드릴게요. 인허가 접수 후에…."

인허가 접수 → 지표조사 실시 의견 발부(문화재과) → 지표조사 업체 선정(건축주) → 지표조사 실시 결과 제출 → 심의 후 종료 또는 표본조사 또는 시굴조사 결정(경남도청) → 시굴조사 업체 선정 → 시굴조사 실시 → 건축 인허가 종료

•괄호 안 : 사업 주체 / 본문 104쪽 발굴단계에 대한 설명 참조

사설 업체에 맡기면 시간을 많이 단축할 수 있었다. 하지만 시굴조사 단계까지 가게 될 경우 5천만 원 정도의 비용이 들고 만약 한 지층에서 두 개 시대 이상의 유물이 발굴되면 최종 발굴 비용의 두 배가 청구된다고 했다.

"1억? 억이요?"

"네, 그리고 옆집 발굴 결과 보고서를 보니 김해 읍성 성곽이 나왔네요. 의뢰자분 땅을 발굴하면 연결된 성곽이 나올 게 분명하네요. 시굴조사까지 한다고 예상하셔야 할 것 같습니다."

선택의 여지가 없었다. 발굴에 거금을 쓸 수는 없었다. 설계 사무소에 건축 연면적을 264㎡ 이하로 맞춰야 할 사정을 설명했다. 소장님들도 발굴 비용을 듣고 놀란 눈치였다. 어떻게든 맞춰 보겠다고 했다. 그렇게 과감한 설계 수정이 이어졌고, 결국 국비 지원을 받고 발굴을 진행했다.

"부가세를 감면받는 방법이 있을 것 같아."

봄이 아빠가 뭔가 좋은 소식을 전할 듯했다.

"주택 임대사업자 등록 같은 거 말이야?"

"아니, 우리 집 같은 다가구 주택은 주택 임대사업자로 등록을 해도 혜택이 거의 없어. 주택은 면세사업이라 부가세 환급 대상도 아니야. 1층은 상가니까 사업자 등록을 내면 상가분에 대해서는 부가세를 환급받을 수 있어."

"사업자 등록? 설명 좀 해 줘."

개인 사업자는 '일반 사업자'와 '간이 사업자'로 등록할 수 있다. 일반 사업자로 등록하면 신축 시 발생하는 부가세 중 상가 부분에 해당하는 면적 비율만큼의 부가세를 환급받을 수 있다. '간이 사업자'는 부가세를 환급받을 수 없다. 각각의 장단점이 있는데, 경우의 수가 많아 전문가와 상담해 자신의 상황에 적합한 방법을 찾는 것이 바람직하다.

고민 끝에 일반사업자 등록을 결정했다. 주의할 점이 있다. 건축 허가 전에 일반사업자로 등록해야 비용 환급이 가능하다는 것이다. 주의사항을 잘 지켜 부가세 700만 원을 환급받을 수 있었다.

정작 집짓기 본 라운드에 들어가기도 전에 거쳐야 할 관문이 이렇게 많은 줄 몰랐다. 앞서 여러 관련 책을 읽고 공부한 지식과 무엇이든 절약할 수 있는 포인트를 찾아내겠다는 집요함으로 단계마다 조금씩 건축비를 줄일 수 있었다.

#12

속 타는 문화재 발굴 조사

아빠는 골동품을 모으는 취미가 있으셨다. 거실 가득 수집품을 전시해 두는 것도 모자라 창고가 필요했기 때문에 주택에 사셨다. 얼마나 가치가 있는 것인지는 모르지만 어린 내게 그 오래된 물건은 그냥 '낡아빠진 것'이었다. 그런데 아이러니하게도 대학에서 '역사 교육'을 전공했다. 역사학도답게 대학 박물관에서 유물 청소 및 고문서 정리, 지역 마을 조사와 사료 발굴 아르바이트를 했다. 골동품에 치를 떨던 내가 과거를 연구하며 재미를 느끼는 모습에서 '피는 못 속이는구나!' 하며 웃기도 했다. 이후 나는 '역사'를 가르치는 교사가 되었고, 생업이 되었다. 아빠는 오랫동안 끌어안고 다니던 골동품을 처분하셨다. 그렇게 역사와 나의 사적 연결 고리가 끊기고, 직업이라는 공적 영역만 남은 줄 알았다. 그런데 집을 지으며 역사가 다시 내 삶 깊숙이 들어오게 되었다.

'매장 문화재 소규모 발굴 조사'

집을 짓는 사람 중 소수만이 경험하는 과정일 것이다. 그 소수가 내가 될 줄은, 그렇게 지독한 경험인 줄도 몰랐다. 물론 땅을 살 때부터 문화재 발굴을 해야 한다는 것은 알고 있었다. 옆집처럼 무난하게 행정 절차를 마치고 집을 지을 수 있다고 쉽게 생각했다. 시간을 줄이고자 봄이 아빠와 사설 발굴 업체를 찾아갔다. 발굴 단계와 단계별 소요 시간, 발굴 예상 비용을 문의했다.

구분	내용	예상 비용 (217m² 경우)
지표조사	1. 사업면적이 30,000m² 이상인 경우 2. 30,000㎡ 이하지만 지방자치단체의 장이 지표조사가 필요하다고 인정하는 경우	약 150만 원
표본조사	토지 면적의 2% 이하 범위에서 발굴 허가를 받지 않고 조사	약 120만 원
시굴조사	토지 면적의 10%이하 범위에서 발굴 허가를 받고 조사	약 630만 원
정밀발굴조사	사업면적 전체를 대상으로 발굴 허가를 받고 조사	약 4,900만 원

높은 비용에 막혀 우린 결국 시간이 걸리더라도 국비를 지원받기로 마음을 돌렸다.

2018년 3월 발굴기관에서 지표조사를 나왔다. 지표조사는 발굴조사 전 고고학적 자료를 수집하여 조사하는 것이다. 조사원이 현장을 훑어보고 갔다. 아마 현장으로 나오기 전 주변 지역 문화재 발굴 보고서를 확인하고, 로드맵으로 위치도 확인했을 것이다. 10일 후 지표조사 결과가 나왔다. 시굴조사를 해야 한다는 결과였다. 지표조사 전부터 주변에서 시굴조사를 들어가게 될 것이 뻔하다는 이야기를 들었다. 정해진 과정 다 건너뛰고 바로 시굴조사를 했으면 좋으련만, 행정 절차상 단계는 모두 거쳐야 했다.

• 2018년 5월 시굴조사

시굴조사가 결정되었지만, 조사 기관에서 아무런 연락이 없었다. 기다리다가 전화해 보니 아직 한참 순서를 기다려야 한다고 했다. 시간은 무심하게 흐르고 속은 새까맣게 타들어 갔다. 그러던 5월의 어느 날, 시굴조사가 드디어 시작되었다. 10%만 파서 확인한다더니 언뜻 봐도 훨씬 넓은 범위를 파고 있는 것 같아 야속했다. 내 땅을 왜 남이 파고 있는지, 그것도 내 돈을 내가면서 해야 하는지 쉽사리 받아들여지지 않았다.

시굴조사 후 결과 보고서가 나올 때까지 또 한 달이 걸렸다. 조사를 한 곳에서 고려시대 우물터가 발견되어서 정밀조사가 필요하다는 결과가 나왔다. 그런데, 6월 말이 되었다. 장마철에 본격 발굴 작업 시기가 딱 걸려버렸다. 장마철에는 발굴을 진행할 수 없다. 장마가 아니더라도 비가 오면 땅이 마를 때까지 발굴 작업은 중지된다.

• 2018년 8월 정밀발굴 중

살면서 비가 내리는 게 이렇게 야속했던 적이 또 있었을까. 장마철이 지나고도 툭하면 비가 내려 9월이 되어서야 정밀발굴이 끝났다. 발굴이 끝났으니 또 보고서가 나올 때까지 기다려야 했다. 발굴 과정에서 나온 것은 예상대로 김해 읍성 성곽이었다. 우리 땅이 성곽 끝 지점으로 추정되었다.

"이제 진짜 끝났다. 추워지기 전에 골조 공사 빨리 시작해야지."

전셋집 만기일이 다가오고 있었다. 나는 임시로 살 집도 마련할 생각에 마음이 분주했다.

"끝이 아니야. 문화재청에서 파견한 전문가가 현장에 나와 뭘 또 살펴보는 단계를 거쳐야 한대."

봄이 아빠가 한숨을 쉬며 말했다.

"뭐라고? 정밀발굴까지 다 했잖아. 그럼 된 거지. 무슨 대단한 유물이 나왔다고 또 전문가가 나온대? 무슨 행정 절차가 이렇게 자기네들 마음대로야. 전화 온 곳 번호 넘겨줘. 내가 통화해 볼게."

평소에 가능하면 주위 사람과 부딪치지 않으려는 성향이지만, 정말 아니다 싶은 순간이 오면 불도저처럼 밀어붙일 때가 있다. 바로 그 순간이었다.

"안녕하세요. ○○○ 토지주입니다. 신축을 앞두고 행정 절차에 따라 정밀 발굴까지 했고, 5개월 이상 시간이 걸렸습니다. 그동안 대출 이자만 꼬박꼬박 내면서 발굴 일정만큼 남편의 사업장 오픈이 늦어져 생계에 곤란을 겪고 있어요. 문화재 발굴이라는 국가적 이익을 위해 개인의 재산권이 침해받았다고 생각하지만, 현행법상 억울하다고 호소할 수도 없기에 묵묵히 시간을 견뎠습니다. 이제 정말 끝났다고 생각했는데, 한 번도 듣지도 못한 단계가 갑자기 생긴 것은 무슨 이유일까요? 어떤 학술적 가치를 점검하기 위한 것이기에 전문가 일정에 맞춰 또 하염없이 기다려야 하는 거죠? 이해할 수 있도록 명료하게 답변해 주시기 바랍니다."

다시 연락을 주겠다는 말을 듣고 전화를 끊었다.

결국 문화재청에서는 마지막 전문가 조사 단계를 생략하고 보고서를 마무리 지었다. 2018년 9월 말이었다. 이 모든 과정에 5,500만 원이 들었다. 발굴로 6개월간 속앓이를 하며 큰 깨달음을 얻었다.

'집을 지으려는 자, 흘러가는 시간에 마음을 비워라.'

소요 시간을 당기기 위한 각고의 노력이 없었다면 더 늦어졌을지도 모른다. 노력은 하되 마음은 비우는 것이 건강에 좋을 것이다.

문화재 발굴은 우리의 소중한 시간을 가져간 것뿐만 아니라 이웃과의 불화도 안겨주었다. 발굴이 끝나고 다음 단계로 진행하기 전, 파낸 흙을 채워두기만 한 상태로 땅을 비워두었다. 땅을 다지지 않은 상태라서 차가 들어갔다간 구덩이에 빠질 수도 있었다. 그래서 안전을 위해 바리케이드를 쳐 놓았다. 인근 빌라 주민들은 '어차피 비어 있는 땅인데, 주차 좀 할 수 있게 해주면 좋으련만, 그렇게 인정 없이 막아 두냐'며 불만을 표했다. 발굴 당시 인부들에게 해당 빌라 공동 수도에서 물을 쓰게 해주었는데, 우리에겐 주차도 못 하게 하냐는 것이었다. 땅에 바리케이드를 친 이유를 찬찬히 설명하고, 빌라 대표에게 수도 사용료는 물론 위로금도 전했다. 그런 일이 있는 줄 몰랐다며 거듭 사과드렸지만, 준공할 때까지 가시 돋친 말을 들어야 했다. 건축주의 입장이라면 아무리 공공기관에서 하는 일이더라도 직접 현장을 찾아가 민원 발생 소지가 없는지 확인하길 권한다.

#13

지진에 대비한 기초 보강 공사

집을 짓기 몇 년 전 일이다.

"쿵쿵, 쿵쿵, 쿵쿵."

'무슨 소리지? 저녁이라 주위에서 공사하는 건 아닐 텐데?'

뭔가 싸한 기분이 들었다. 그와 동시에 집이 휘청거리는 것을 느꼈다.

'지… 지진?'

너무 놀라 회사에 있는 봄이 아빠에게 전화했다. 먹통이었다. 밖을 내다보니 사람들이 집을 뛰쳐나가고 있었다. 자고 있던 아이만 안고 비상 통로를 따라 12층에서 1층까지 급히 대피했다. 아파트 놀이터에는 나처럼 아이를 안고 뛰어 내려온 엄마, 아직 퇴근 전인 가족과 통화가 되지 않아 초조해하는 사람들이 서로 얼굴을 바라보며 이게 무슨 일인지 영문을 모르겠다는 표정만 짓고 있었다. 진도 5.8의 지진이었다. 1주일 후 비슷한 시간대에 같은 지진이 반복됐다. 이후 한동안 지진 트라우마에 시달렸다. 식탁에 앉으면 마치 바닥이 땅으로 내려앉을 것 같은 기분이 들 정도로 두려웠다.

2016년 경주 지진 이후 건축 시 구조에 대한 중요성이 커졌다. 그전보다 조건이 까다로워졌다. 건축 인허가를 받으려면 구조 계산식이 들어가야 한다. 구조 전문 업체에서 우리 집 설계를 보고 허용 지내력을 계산했다. 15t 이상을 확보해야 했다. 쉽게 얘기하면, 설계된 집을 지으려면 땅 내부의 힘이 15t 이상을 견딜 수 있어야 한다는 말이다. 지반이 튼튼하다면 문제 될 것이 없다. 그런데 동네 어른들께 심상치 않은 이야기를 들었다.

"여기가 예전에는 다 미나리꽝이었어. 그리고 동네에 있는 봉황대 유적 공원. 거기 예전에 다 조개무지였잖아. 아주 오래 전에는 바다였다는 거야. 그래서 이 동네 지반이 다 약해."

그렇다. 김해는 한자로 '金海, 금이 있는 바다'란 뜻이다. 바다였던 곳에 오랜 세월이 지나며 퇴적물이 쌓였지만 불과 100년 전까지도 미나리꽝이었으니 지반이 단단할 리가 없다. 그전까지야 건물을 지을 때 지내력에 대한 기준이 느슨했고, 지진이 나지도 않았기 때문에 별문제가 없었다. 하지만 이제 상황이 달라졌다.

'돈이 조금 더 들더라도 튼튼하게 지어야지. 내진설계를 해

야 해.'

지내력 시험 검사를 했다. 결과는 처참했다.

"6t이래. 기준이 15t인데 원래 땅이 무르기도 하고 발굴 때문에 땅을 많이 팠잖아. 생각보다 지내력이 너무 약해. 이제 어떻게 보강해야 할지 알아봐야 하는데, 최악의 경우 파일을 박아야 할 수도 있어."

봄이 아빠 말끝에 힘이 없었다.

"파일이 뭐야? 옆 아파트 지을 때 커다란 기둥 같은 거 쿵쿵 박던데, 그게 파일이야?"

"응 맞아. 그거 엄청 고가야. 그걸로 보강 공사하면 기초에만 1억 원 정도 들어갈지도…."

"집짓기도 전에 땅에 드는 돈이 왜 이렇게 많은 거야. 발굴도 억, 기초 보강도 억…."

울고 싶었다. 발굴은 국비 지원을 받아 잘 넘겼는데, 집짓기도 전에 기초에만 1억 원을 써야 한다면 답이 없었다.

"일단 빨리 알아보자. 어느 정도 보강해야 할지. 좀 저렴한 보강으로도 지내력을 확보할 수 있는 방법을 찾아봐야지."

봄이 아빠가 몇 군데 업체에 문의했다. 두 곳은 팽이 기초 시공만 해도 15t 이상의 지내력이 확보될 것 같은데, 계산상으로는 그 값이 나오지 않는다고 했다. 시공 후 지내력 검사를 했을 때 15t 이상의 결과값이 나오지 않으면 원상 복구 후 다시 파일을 박아야 한다. 그러니 선뜻 자신있게 나서지 못했다.

봄이 아빠와 나는 포기하지 않고, 다른 업체를 수소문했다. 계속 두드리니 문이 열렸다.

"봉황동과 인근 몇 곳에 팽이 시공을 해 봤습니다. 저희 경험상 15t 이상의 지내력이 충분히 확보될 것입니다. 믿고 맡겨 주세요."

팽이 기초를 시공하는 날, 흔히 볼 수 없는 광경에 지나가던 사람들도 걸음을 멈추고 구경했다.

"이게 뭐 하는 거예요?"

호기심 가득한 눈으로 사람들이 봄이 아빠에게 물었다.

"지진에도 튼튼한 집을 지으려고 팽이 기초 시공을 하는 겁니다. 1995년 일본 고베 대지진 때 땅이 액상화[6]되어 큰 피해가 발생했는데, 팽이 기초를 사용한 건축물은 피해가 훨씬 적었다네요."

봄이 아빠는 팽이 기초에 대한 믿음과 기대를 가진 만큼 열심히 설명했다.

팽이를 촘촘하게 깐 다음 콘크리트를 꼼꼼하게 채워주었다. 콘크리트가 굳은 다음 날 팽이 사이사이를 채워줄 골재가 들어왔다. 골재를 쏟아붓고 틈을 최소화하기 위해 진동기기로 표면을 문질러 주었다. 골재가 진동하며 더 촘촘히 채워졌다. 공사가 끝

---

6) 강한 지진 흔들림으로 땅 아래 있던 흙탕물이 지표면 밖으로 솟아올라 지반이 액체와 같은 상태로 변하는 현상. 국내에서도 2017 포항 지진의 진앙에서 첫 액상화 현상이 발견되었다.

나자 긴장되는 순간이 왔다. 다시 지내력 검사를 해야 했다.

감리자 입회하에 평판 재하 시험을 했다. 지내력을 검사하는 시험의 일종이다.

• 팽이기초 시공 중

• 팽이에 콘크리트 붓는 중

• 팽이기초 시공 완성 모습

"지내력 23t 나왔어."

봄이 아빠의 전화였다. 환희에 찬 목소리였다. 할 수 있다는 업체의 말을 믿고 도박을 한 셈이나 마찬가지였는데, 감이 틀리지 않았다. 15t을 훌쩍 넘는 수치가 나와 마음이 편안했다. 기초 보강에 1,200만 원이 들었지만, 지진에도 걱정을 덜 수 있는 집을 짓게 되었다.

고비를 무사히 넘겼다고 한숨 돌리자, 또 다른 막강한 복병

• 평판 재하 시험

• 내진설계 건축물 인증

이 나타났다. 바로 협업 건축사무소와의 마찰이었다. 우리가 함께한 공오스튜디오 두 소장님은 네덜란드 건축사 자격을 가지고 계셨다. 당시 국내 건축사 자격증이 없었다 이 일을 계기로 국내 건축사 자격을 얻어 지금은 문제 되지 않는 부분이다. 그런 경우 인허가 작업을 직접 진행할 수 없기 때문에 협업 건축사를 선정하게 된다. 건축주가 하는 것이 아니라 설계사무소에서 의뢰하고 비용을 지불해야 하므로 건축주가 신경 쓰지 않아도 된다.

공오스튜디오는 우리 지역에 있는 한 설계사무소에 협업을 의뢰했다. 막상 인허가를 받는 과정에서야 협업 건축사가 모든 권한을 가지고 있다는 것을 깨달았다. 협업 건축사가 안 된다고 하면 '안 되는 것'이 되어 버렸다. '이렇게 해보자, 저렇게 해보자' 다양하게 제안해도 대부분 '안 된다'는 반응이었다.

한 번은 박공지붕을 할 것인가, 평지붕을 할 것인가 고민하다가 평지붕을 선택했다. 협업 건축사는 '김해시는 평지붕을 허가해 주지 않는다'고 했다. 그래서 봄이 아빠가 직접 시청에 문의

했다. 평지붕 시공이 가능했다. 그래서 협업 건축사에게 시청 문의 결과를 알렸더니, '그럼 그렇게 하세요'라는 답변이 돌아왔다. 이유는 알 수 없지만 일단 '안 된다'는 생각이 지배적이었다. 그때부터 불안했다. 비슷한 일이 반복되었다. 문제를 발견하면 해결책을 찾으려고 하지 않고 계속해서 '안 된다'라고만 했다. 여러 관문을 거쳐 착공 신고 단계에 왔다. 그런데 착공 신고를 해주지 않는 것이었다. 봄이 아빠와 함께 협업 건축사를 찾아갔다. 착공 신고를 할 때 자신의 도장이 들어가는데, 그럼 모든 책임을 자신이 지기 때문에 할 수 없다는 입장이었다.

"소장님. 추가 비용 저희가 지급할 테니 협업 사무소 지금이라도 바꿔야 할 것 같아요."

건축 인허가를 받기 위한 거의 마지막 단계에서 협업 설계사무소를 교체했다. '안 된다'고 말하는 사람 한 명을 바꿨더니 모든 일이 다 풀렸다. 이 일은 우리에게 큰 교훈을 주었다. 건물을 짓는다는 것은 여러 전문가와 함께 문제를 처리해 나가는 과정이다. 해결에 역량을 쏟아도 쉽지 않은 과정인데, 안 되는 이유를 찾는 사람과 함께 하면 '집짓기가 10년 늙는 일'이 되고 마는 것이다. 봄이 아빠는 '안 된다'는 소리를 하는 사람은 시공 현장에 나오지 못하도록 했다. '된다'는 사람들과 긍정적인 에너지를 모아 집을 짓겠다고 결심한 계기가 되었다.

#14

생각지 못한 친정살이

*"어떤 것이 당신의 계획대로 되지 않는다고 해서 그것이 불필요한 것은 아니다."*_에디슨

터를 파고 골조를 세우는 본격적인 공정에 들어가지도 못했는데, 살고 있던 집의 전세 만기일이 되었다. 집주인에게 조금만 더 연장해서 살게 해달라고 부탁해 볼 수도 있었다.

'땅을 살 때 받은 전세 담보 대출금의 이자를 계속 감당할 수 있을까? HUG 대출 이자도 매월 꼬박꼬박 나가고 있는데….'

고민 끝에 전세금을 받아 우선 전세 담보 대출을 갚기로 결정했다.

'이삿짐센터에 짐을 맡기고, 집 지을 땅 근처에 원룸을 구해볼까?'

좋은 방안이 아니라는 판단을 내리기까지 얼마 걸리지 않았다. 이삿짐 보관료가 매월 30만 원인데, 언제까지 보관할지 알 수 없고 원룸 월세도 만만치 않았다. 친정으로 들어가야겠다고 생각했다.

"봄이 아빠, 집 짓는 동안 봄이 외가에서 사는 게 좋을 것 같아. 우리 땅과 친정이 가까우니 현장을 둘러보기도 좋은 위치고. 봄이 아빠 생각은 어때?"

봄이 아빠는 내 의사 결정에 대부분 따르는 편이다. 하지만 장인, 장모와 몇 달이라도 함께 산다는 것은 사소한 의사 결정이 아닌 것 같아 봄이 아빠에게 먼저 물었던 것이다.

"좋아. 장모님 집으로 봄이 어린이집 차량 운행하지? 그런데 우리 짐 넣을 곳이 마땅치 않네."

"아, 시댁에 방 하나 비어 있잖아. 형님 오면 쓰시는 방. 거기에 우리 짐 다 넣을 수 있지 않을까?"

양가 부모님께 허락을 받았다. 이삿짐센터에서 견적을 내기 위해 집을 찾았다. 가져갈 짐을 확인하고, 짐을 보관할 시댁 방 크기도 확인했다. 테트리스 쌓듯 잘 쌓으면 들어갈 수 있겠다는 확답을 받았다. 그때 엄마로부터 전화가 왔다.

"얘야, 그런데 봄이 아빠는 시댁에서 지내는 게 어떻겠니. 한 집에서 같이 살면 서로 안 봤으면 싶은 부분이 자꾸 보일 것 같아. 너야 딸이니까 이해하지만 사위는 백년손님인데. 시댁에서 현장까지 차로 15분이면 올 수 있으니 왔다 갔다 하는 것도 괜찮을 테고."

전화를 끊고 봄이 아빠에게 말했다.

"엄마가 사위랑 같은 집에 사는 게 좀 부담스러운가 봐. 봄이 아빠만 어머님 댁에서 지내는 거 어때? 평일 내내 봄이랑 나랑 부대끼면 엄마도 좀 피곤할 테니 주말에는 우리도 시댁으로 갈게."

봄이 아빠 얼굴에 미소가 만연했다. 아이를 낳기 전 누리던 자유를 오랜만에 느낄 수 있겠다며 설레기까지 한 눈치였다. 그렇게 우리는 친정살이를 시작했다. 또 기러기 가족 같지 않은 기러기 가족이 되었다.

친정집에는 결혼 전 내가 쓰던 방이 그대로 있었다. 그 방에 가을과 겨울을 보낼 나와 봄이의 옷가지를 정리했다. 책상은 화장대가 되었다. 그리고 내가 결혼하기 전 오빠네가 오면 머물던 방이 나와 봄이의 침실이 되었다. 외풍 때문에 방한용 텐트를 사서 넣었더니 방 한가득 차지했다. 텐트가 큰 게 아니라 방이 작았다. 딱 봄이와 나의 아늑한 잠자리 사이즈였다. 친정살이는 여러모로 편했다. 우선 살림을 하지 않아도 되었다. 깔끔한 성격의 친정 엄마는 당신의 살림 방식을 고수했고, 그것을 내가 흩트려놓지 않길 바랐다. 부지런한 성품이시라 빨래나 설거짓거리를 쌓아 놓는 일도 없었다. 퇴근하고 오면 빨래가 다 되어 있고, 저녁 식사가 준비되어 있었다. 오랜만에 엄마가 해주시는 집밥을 아침, 저녁 두 끼나 먹게 되었다. 밥을 먹고 설거지를 하려고 하면 '그 시간에 봄이랑 놀아주라'며 만류하셨다. 자연스럽게 살림에 손을 놓게 되었다.

"엄마, 나 요즘 호사를 누리고 있는 것 같아. 일어나면 내 몸만 치장하고 출근하고, 퇴근하고 오면 엄마가 해주는 밥 먹고 씻고 봄이 돌보다가 자면 되고. 너무 편해."

"그래. 이 집에 있는 동안이라도 편하게 지내."

이래서 친정 엄마가 좋은 거구나 하는 생각이 들었다.

집을 짓는 동안 봄이 아빠는 현장 소장으로 하루의 시작과 마감을 직접 챙겨야 했다. 인부들이 모두 돌아가면 민원이 들어오지 않도록 현장을 깨끗이 청소하는 정리 작업도 그의 몫이었다. 퇴근 후 처가에 들러 저녁 먹고 봄이를 잠시 보고 나면 서둘러 시댁으로 향했다. 다음날 원활한 현장 지휘를 위해 도면을 공부하고, 유의 사항을 숙지해야 했다. 그 시기에 나도 무척 바빴다. 11월 수능 이후부터는 생활 기록부 작성으로 전국의 선생님들이 1년 중 가장 바쁜 시즌이다. 예전 같으면 내가 야근하는 날 봄이 아빠가 봄이를 돌봐야 했다. 봄이 아빠가 저녁에 갑자기 일이 생기면 자율학습 감독을 급히 바꿔서 퇴근하기도 했다. 일이 많은데도 육아 때문에 정시 퇴근을 해야 하는 날에는 일 꾸러미를 싸 들고 집으로 왔다. 아이를 재우고 졸음과 싸우며 일을 해야만 했다. 아이를 키우며 맞벌이하는 여느 집의 모습과 다를 게 없었다. 그런데 친정살이를 하는 동안 아무 걱정 없이 직장 생활을 할 수 있었다. 누구보다 믿을 수 있는 친정엄마가 아이를 돌봐주고 계시기 때문이었다.

친정살이가 길어지면서 조금씩 불편한 일도 생겼다. 몇 개월 동안 필요한 최소한의 짐만 따로 챙겨 친정으로 들어왔다. 찾는 물건이 시댁 테트리스 방에 들어가 있는 경우가 종종 생겼다. 좀 불편해도 당연히 감수해야 했다. 정작 큰 문제는 친정엄마와 생활 방식 차이에서 비롯되는 갈등이었다. 어디선가 '한 지붕 아래 두 명을 초과하는 성인이 함께 살면 안 된다'는 말을 들은 적이 있다. 성인은 자기의 가치관이 뚜렷하다. 미성년자일 때는 부모가 내 삶의 통제권을 가지고 나를 보호해 주었다. 하지만 나도 어엿한 성인이 되어 내 가정을 꾸린 사람이다. 이미 그 시간이 쌓였기에 각자의 방식이 뚜렷했다. 그 차이에서 비롯된 충돌이 몇 번 있었다. 엄마는 서운해했고, 나는 숨이 막혔다. 잠시만 떨어져 있으면 좋겠다는 생각도 들었다. 그렇지만 추운 겨울날 아이를 데리고 나가 있을 곳이 마땅치 않았다. 그렇다고 시댁으로 가는 것도 내키지 않았다. 결혼하지 않고 혼자 사는 친구가 가까이 있으면 잠시 그 집으로 피난 가고 싶은 기분이었다.

엄마와 조금 다툰 토요일 낮이었다. 봄이 아빠는 공사 현장에 있었다. 낮이니까 잠깐 봄이를 데리고 나갔다 오면 기분이 나아질 것 같았다. 우리가 외출한 동안 친정엄마는 꼬리에 꼬리를 무는 생각을 하신 모양이었다. 엄마와 떨어져 지내겠다는 단호한 결심 같은 것을 갖고 봄이를 데리고 나간 줄 알고 계셨다. 오해가 오해를 낳았다.

어느 주말 시부모님이 여행을 가셨다. 이틀 동안 시댁에 봄이 아빠와 나, 봄이 이렇게 셋만 있었다. 장을 봐 요리하고, TV를 보았다.

"이게 얼마 만이야. 우리끼리 있는 주말이."

하이케 팔러는 <100 인생책>에서 '달이 백년에 한 번 뜬다고 생각해봐. 그걸 보는 게 얼마나 굉장한 일이겠어!'라고 말했다. 내 집 없이 몇 개월을 지내보니 그 소중함을 알게 되었다. 이제 내 가족은 부모님과 함께 살 때의 그것이 아니었다. 봄이와 봄이 아빠, 그리고 나. 우리 가족이 주는 편안함과 소중함을 알게 되었다. 한편으로는 그동안 엄마도 얼마나 불편했을지 이해할 수 있었다.

4~5개월을 예상했던 친정살이가 조금씩 늘어나 결국 8개월이 되었다. 새집 증후군 때문에 새집에 짐을 다 옮기고도 1개월 정도 더 친정살이를 했다. 나와 봄이가 친정에서 지내는 동안 최고의 수혜자는 봄이 아빠였다. 8개월간 우리와 따로 산 봄이 아빠는 육아하는 법을 잊어버렸다. 집을 완공하고 다시 예전처럼 살면서 한동안 육아도, 집안일도 손을 놔버린 봄이 아빠 때문에 습관이란 참 무섭다는 생각을 다시 한번 하게 되었다.

계획대로 되지 않은 일들 때문에 예상보다 훨씬 오래 친정살이를 했다. 덕분에 내 보금자리의 소중함을 알게 되었다. 모든 게 착착 진행되었다면 글감이 부족했을 것 같다. 계획대로 되지 않았기 때문에 집을 지으며 다양한 에피소드가 남았다. 어쩌면 계획대로 되지 않는다는 것은 참 멋진 일이다.

#15

겨울에 시작된 공사

도서관에 갔다가 우연히 본 책 제목이 내 시선을 끌었다.

'인생은 뜻대로 되는 게 아니란다'

생각해 보니 그동안 '뜻대로' 살아온 것 같았다. 고등학교 졸업 후 재수 없이 대학에 진학했다. 사범 대학을 졸업해 교사가 되었다. 20대 중반에 봄이 아빠를 만나 서른에 결혼했다. 일 년 정도 소꿉놀이하듯 내 살림이 생긴 재미를 누리다가 서른둘에 봄이를 낳았다. 거기까지의 내 삶을 책으로 썼다면 '인생은 뜻대로 된다'는 제목이 붙었을 듯싶다.

집을 짓는 과정은 어느 것 하나 뜻대로 되는 게 없었다. 계획대로 되길 바란 마음 때문에 착공 전 기운을 많이 뺐다. 늦어도 2018년 늦봄에는 착공을 시작해 장마 시작 전에 골조를 완성해야 한다고 생각했다. 그러나 땅을 계약한 지 1년이 지난

2018년 11월, 드디어 건물의 뼈대를 세우기 시작했다. 날씨가 추워졌다. 겨울 공사는 여러모로 힘들다고 들었다. 크리스마스 전까지 골조 완성을 목표로 분주하게 움직였다.

• 1층 골조 작업 중

• 완성된 모습을 예상해 본 모습

1층 골조 작업 진행 속도가 느렸다. 기초 보강 설계를 탄탄하게 했더니 일반적인 집에 비해 보가 더 많았다. 층별 거푸집이 완성되면 콘크리트를 타설한다. 일정이 잡히면 일기예보부터 살펴봤다. 콘크리트가 굳는 동안 영하로 내려가면 하자가 발생할 여지가 많다. 다행히 콘크리트 타설하는 날과 콘크리트가 바짝 양생하는 이틀 동안 하자가 염려될 만큼 춥지 않았다. 하지만 콘크리트 타설 날 봄이 아빠는 굉장히 예민했다. 큰 레미콘 차량이 연이어 좁은 길에 들어왔다. 이웃들의 차량 통행에 피해를 줄 수 있기 때문에 민원이 발생할 여지가 큰 날이었다. 골조를 세우기 전까지 많은 일을 겪었다. 그래서인지 골조를 세우면서부터는 큰 문제 없이 일이 진행되는 느낌이었다. 설계사무소에서는 골조 작업 사진에 완성된 집을 그려 넣은 이미지를 보여주셨다. 그간 지쳤던 마음이 다시 설레기 시작했다.

겨울은 콘크리트가 굳는 속도가 다른 계절보다 느리다. 그래서 시멘트 비율을 좀 더 늘이면 양생 속도가 빨라진다는 것을 알았다. 콘크리트 타설 기간 대부분 영하로 내려간 적이 없었지만, 새벽 최저 기온이 -2~3℃로 내려가는 날은 작업 후 집에 보온재를 덮어 주었다.

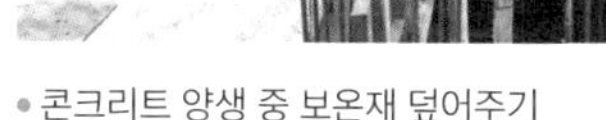

• 콘크리트 양생 중 보온재 덮어주기

• 저녁 실내 미장 작업 중

외부 골조 콘크리트 타설이 끝나면 실내 미장 작업이 시작되었다. 어떤 날은 1차 바닥 미장을 저녁 6시에 시작하기도 했다. 그러면 밤 9시쯤 2차 바닥 미장을 했다. 여름은 고온으로 콘크리트가 빨리 굳기 때문에 2명 이상의 작업자가 빠르게 움직여야 한다. 하지만 겨울에는 마르는 속도가 느리기 때문에 1명으로도 가능했다.

•거푸집 해체 중

•우수관 매립 장소 표시

한 날 목수가 거푸집을 해체하며 봄이 아빠에게 말했다.

"건축주가 좋으면 곰보 없이 콘크리트 타설이 잘 된다는 속설이 있는데, 이 현장은 타설이 잘 되었네요(하하)."

봄이 아빠 어깨가 들썩였다. 칭찬은 고래도 춤추게 한다.

거푸집 해체는 비가 올 때도 가능했다. 비가 오는 날에도 의외로 가능한 작업이 많았다. 일요일을 제외하고 나머지 날은 거의 쉬지 않고 현장이 돌아갔다. 거푸집을 해체한 후에는 우수관을 매립한 곳에 빨간색 래커로 표시를 했다. 자칫 우수관이 매립된 줄 모르고 드릴로 벽을 뚫거나 하면 우수관이 파손되어 곤란하기 때문이다. 봄이 아빠는 매일 현장에서 배운 지혜와 각종 이슈를 네이버 밴드에 기록했다. 공오스튜디오 소장님들도 김해까지 내려오지 않아도 매일 현장을 볼 수 있었다. 그 기록 덕분에 지금 이렇게 글도 쓸 수 있는 것이다.

겨울철 공사를 할 때는 방수 공사도 더 꼼꼼히 해야 했다. 추운 날씨에 방수 작업을 하면 하자 발생률이 높아지기 때문이다. 비용이 더 들더라도 방수가 깨지지 않도록 고급 자재를 사용했다. 하다 보니 계약 시보다 방수 공사 범위가 더 늘어났다. 외부 창호틀 주변, 층간 조인트 부분까지 방수에 신경을 썼다. 또 배관이 얼어서 터지는 일이 생기지 않도록 배관에 걸려 있는 수압을 모두 제거하고 물을 빼는 데에도 신경을 썼다.

• 창틀 누수 발생

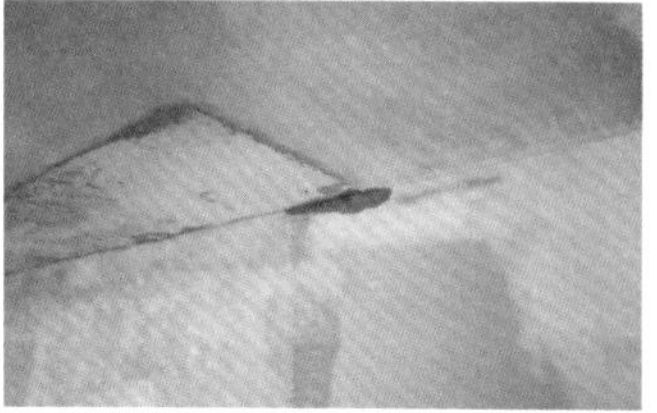
• 천장 누수 발생

비가 오는 날, 봄이 아빠는 건물 곳곳에 누수가 발생하고 있는지 꼼꼼하게 점검했다.

"방수할 때 눈에 불을 켜고 살펴봤는데도 누수가 생기네. 창틀에 생긴 누수는 방수 작업을 다시 하기로 했어. 천장 부분도 비가 샌 곳이 있는데 거긴 우레탄 방수 작업을 추가로 하려고. 타이핀을 제거한 외벽에는 실리콘을 발랐는데, 실리콘을 꼼꼼하게 바르지 않은 곳에 누수가 생겼더라. 맑은 날 실리콘 작업도 다시 해야지. 우리 집에 누수란 있을 수 없는 일이야."

입주 후 비가 많이 내린 날 옥상에서 4층으로 연결되는 문틀 쪽에서도 누수가 생겼다. 조금씩 비가 새고 있었던 것 같은데, 티가 나지 않아 몰랐다. 비바람이 심하게 친 날 4층 바닥에 물이 조금 고여 있는 것을 발견하고, 원인을 찾아 수습했다. 방수 작업의 중요성을 깨달았다. 또 꼼꼼하게 시공해도 하자가 발생할 수 있음을 실감하게 되었다. 주택을 지어 사는 사람들은 이 점을 명심해야 할 것 같다. 하자는 발생할 수 있다. 바로 잡으면 된다. 입주 후 새집에 자잘한 하자가 보인다고 해서 '집을 왜 이렇게 지었지?'하고 생각하면 마음이 고되다. 사람이 하는 일이니 빈틈이 발생할 수 있다고 마음먹어야 웬만한 일에 신경이 곤두서지 않는다.

겨울 공사는 다른 계절보다 특히 안전에 유의해야 한다. 건축 현장에서 언 손을 녹이려고 히터를 사용한다. 우리 집 공사가 한창일 때도 다른 건축 현장의 화재 뉴스를 두세 번쯤 접했다.

• 철저하게 점검해야 할 전열 기구 관리

전열 기구 관리도 봄이 아빠 몫이었다. 아침에 작업을 시작할 때면 작업자들에게 담배꽁초, 히터 관리를 철저하게 해달라고 요청했다. 작업이 종료된 이후에도 혼자 남아서 현장을 둘러보며 문제가 될 것이 없는지 살폈다.

● 안전모 쓰기

전열 기구 관리와 더불어 작업자들에게 안전모를 착용하라는 잔소리도 수시로 해야 했다. 안전모를 지급한 바로 다음 날, 산업안전공단에서 나와 안전모 착용 상황을 확인했다.

"이 현장은 보호구 착용이 확실하네요. 교육 홍보물 챙겨 드릴 테니 현장에 붙여 두세요."

다행이었다. 하루만 안전모 배급이 늦어졌으면 문제가 되었을 것이다. 이후에도 산업안전공단에서 한 달에 한두 번씩 현장을 불시 점검했다. 우리는 안전모 착용을 강조해 매번 지적사항 없이 잘 지나갔다. 형틀 목수와 철근 반장님께는 안전화도 지급했다.

하루는 봄이 아빠가 퇴근 후 술을 한 병 사 왔다. 기분이 좋아 보였다.

"무슨 좋은 일 있어?"

"생각지 못한 돈이 생겼어. 현장 안전을 위해 자투리 철근과 못, 철사 등을 모아 고철상에 가지고 갔더니 kg당 200원을 쳐 주더라고. 새 철근을 kg당 740원에 샀는데, 이걸 재활용해 오늘 30만 원 정도 받았잖아."

그날 봄이 아빠가 쓴 건축일지의 마지막에 이렇게 적혀 있었다.

'안전사고를 예방하고 돈도 벌 수 있다니, 앞으로도 남은 자투리 철근을 부지런히 모아야겠다.'

공사 규모가 큰 현장은 한 명의 인건비를 줄이는 것보다 현장 관리를 잘해서 절약하는 비용이 훨씬 크다고 한다. 우리 집과 같은 작은 현장은 소장이자 건축주인 봄이 아빠가 직접 자잘한 관리들을 하며 비용을 줄였다. 그렇지만 추운 날 매일 현장에 있으니 봄이 아빠 손은 날로 거칠어졌다.

"내 손발이 부르트더라도 우리 가족이 살 집 하나는 내가 제대로 지을게. 나만 믿어."

그 겨울 차가운 콘크리트가 단단하게 굳어갔다. 외장재가 붙고 내부 인테리어가 시작되며 온기가 느껴졌다. 봄이 오는 소리가 들렸다. 우리가 바랐던, 봄이 머무는 따뜻한 공간의 형체가 드러나고 있었다.

#16

쩐과의 전쟁

주택보증공사에서 4억5천만 원을 대출받았다. 대출금이 한 번에 들어왔다면 '쩐과의 싸움' 정도로 공사가 가능했을 것이다. 문제는 각 공정 후 대출금이 지급되는 시스템이었다. 기초 타설 이후, 골조 공사 이후, 내부 공사 이후, 준공 후 돈이 들어왔다.

"한 번에 모든 대출이 실행되지 않으니 초반에 내야 하는 대출 이자가 적은 것은 좋은데, 대출금이 들어오기 전까지는 업체에 결제를 해 줄 수 없다는 게 문제네."

봄이 아빠가 곰곰이 고민했다.

"골조를 다 세워야 골조에 든 비용을 대출받을 수 있다…. 그럼 골조를 어떻게 세운담?"

"기초 타설까지는 돈이 많이 들지 않아. 타설 비용을 후불로 지급하기로 업체와 이야기하고, 타설 이후 8천만 원을 빌려주니까 그 돈으로 골조 공사까지 잘 진행해 봐야 할 것 같아."

우리의 고민 해결 방법은 늘 이랬다. 내가 질문하면 봄이 아빠는 질문에 답하며 문제를 해결할 방법을 찾는 식이었다.

"버틸 수 있을까?"

"버텨야지."

선택의 여지가 없었다. 어쨌든 주어진 상황에 맞춰 해내야 했다. 건축 경험이 없는 봄이 아빠 혼자서 해결책을 찾기에는 난이도가 높은 과제였다. 건축 과정의 멘토이신 박 사장님께 조언을 구했다.

"자재비는 선지급이라, 그 비용은 항상 확보하고 있어야 해. 다음에는 믿고 공사할 수 있는 하도급 업체를 선정하고 결제 조건을 공사가 가능하도록 최대한 맞춰 놓는 게 좋아."

박 사장님 말씀은 언제나 옳다.

"제가 거래해 본 업체가 없는데 어떻게 해야 할까요?"

"내가 거래하는 업체를 소개해 줄 테니 맡겨 봐."

박 사장님은 우리에게 귀인이었다. 거래처뿐만 아니라 목수, 타일, 도장 등 공정별로 자신의 현장에서 함께하는 시공자들을 소개해 주었다.

매월 1억 원 가까운 돈이 건축 비용으로 쓰였다. 봄이 아빠가 호탕하게 말했다.

"나 요즘 하루에 1~2천만 원씩 쓸 때도 있어. 이렇게 큰돈 써

봤어? 써본 적 없으면 말을 하지 말아, 하하하."

봄이 아빠 농담에 나도 웃을 수밖에 없었다. 그렇지만, 공사에 지친 어느 날은 술을 한잔하며 속내를 말했다.

"현장에 일하는 사람이 많은 날은 하루에 20명이야. 1인당 일당 평균이 20만 원이라고 하면 하루 인건비 지출만 400만 원이야. 밥값 등 추가 경비까지 계산하면 더 많지. 가끔 현장에 사람들이 많을 때는 공포감도 느껴. 회사 다닐 때 내 한 달 월급 이상의 돈이 하루 만에 나가는데, 그 사람들이 일을 잘못 해서 재작업을 하면 시간도 문제지만, 돈도 날리잖아."

봄이 아빠는 무거운 중압감을 느끼고 있었다. 나는 나대로 직장에 다니며 봄이를 돌보고, 내 월급만으로 가계를 꾸려야 했기 때문에 여유가 없었다. 각자 자기가 맡은 일에 최선을 다할 뿐이었다.

후불 전략으로 버티는 일은 쉽지 않았다. 그래도 조금씩 집이 지어지는 모습을 보면서 힘을 냈다. 준공이 다가왔다. 막바지 쩐과의 전쟁을 치러야 했다. 사용 승인준공을 내줘야 하는 관할 행정청에서 '이러저러한 것을 보완하라'고 지시가 나왔다. 승인을 받아야 주택보증공사에서 마지막 대출금을 받을 수 있었다.

"우리 작업 끝난 지 한참 지났는데 입금은 언제 됩니까?"

봄이 아빠 전화의 대부분은 '돈을 받아야 하는 사람들'의

독촉이었다. 주택보증공사에서 대출할 때 대출 가능 금액의 100%를 사용하지 않았다. 얼마가 되었든 대출한 돈보다 더 많은 돈을 지출할 것 같았다. 여러 책에서 한결같이 '예산을 초과한다'고 했다. 그래서 예상 비용보다 적게 대출했다. 예상대로 대출 금액보다 더 많은 공사비가 들었다. 결국 이 전략을 써야 했다.

"카드 할부로 돌릴 수 있는 것은 카드로 결제하자. 취·등록세나 원룸에 넣을 냉장고, TV 등을 최장 개월 할부로 끊는 거야. 나중에 원룸 보증금이 들어오고, 엄마 아빠가 집 팔고 우리 건물로 이사 오시면 충당이 될 테니까 그렇게 해보자."

건물 취·등록세를 6개월 할부로 결제했다. 할부 처리한 취·등록세가 준공 후 6개월 동안 우리를 괴롭혔다. 사용승인 후에는 원룸 세입자를 구하는 게 급했다. 보증금이 들어와야 할부로 해결한 건축 잔금을 조금씩 정리할 수 있었다. 그런데 어느 날, 에어비앤비 사업 강의를 듣고 온 봄이 아빠가 민박업으로 마음이 흔들렸다. 3개월 고민 끝에 결국은 원룸 세입자를 구하게 되었다. 카드값을 내기 위해 장기 저축형 보험 상품에서 중도 인출을 하고, 아이 몫으로 모으던 통장에서도 돈을 찾았다.

"끝까지 정리하지 못한 건축비가 300만 원 있었거든. 당신이 돈 때문에 너무 스트레스 받을까 더 이상 이야기를 할 수 없었어. 대학 친구에게 그 돈을 빌렸어. 내가 집 짓는 건 모르고 '사업한다고 직장 그만두더니 돈이 급한가 보다'라고 생각했나 봐. 별말 없이 빌려주더라고. 아마 못 받을 수도 있다고 생각하고 빌려줬을 것 같아."

나중에 들은 이야기였다. 친구끼리 금전 거래를 하면 안 된다고 평소에 생각했다. 봄이 아빠도 마찬가지였다. 얼마나 금전 압박이 심했으면 나 몰래 친구에게 돈을 빌렸을까 싶었다.

사용 승인 후 한 달 정도 지나 우리 가족은 드디어 새집에 입주했다. 부모님은 살고 계신 집이 팔리면 이사 오시기로 했다. 잠을 자다가 이상한 소리가 들려 눈을 떴다. 자정을 막 지난 시간이었다.

'이게 무슨 소리지?'

정체를 알 수 없는 소리가 들렸다. 불길한 느낌에 창문 밖을 내다보았다. 집 앞 건너편 길가에 사람들이 모여 있었다. 무슨 일이 생긴 게 분명했다. 겉옷을 챙겨 입고 밖으로 나갔다.

'불이야. 불이 났어. 어? 저기 부모님 집이잖아?'

순간 눈앞이 어질했다. 정신을 가다듬고 보니 부모님이 살고 계신 빌라 4층에 불이 난 것이다. 다행히 아래층으로 불길이 번지진 않았다. 부모님께 전화를 걸려는 순간, 길가에 서 계신 부모님이 눈에 들어왔다. 가슴을 쓸어내렸다.

"윗집에서 불이 났어."

엄마가 걱정 가득한 눈으로 말했다. 큰 소방차 두 대가 와서 불길을 잡고 있었다. 같은 건물 이웃끼리 다들 무사한지 안부를 묻고 있었다. 불이 난 그 집 어르신 두 분만 보이지 않았다. 가슴이 방망이질 쳐댔다. 한 시간이 지나 불이 다 꺼졌다. 전소된 그 집에서 소방대원이 흰 천을 머리끝까지 씌운 들것을 들고 나왔다. 바라보던 동네 주민들의 탄식이 이어졌다.

"아이고 어쩌나, 어째~"

부모님은 더 이상 그 집에 계실 수 없었다. 어떤 이웃은 급히 모텔을 거처로 잡았고, 다른 이들도 머물 곳을 고민하고 있었다. 부모님은 당연히 우리 집으로 모셨다.

"그 집은 참 다행이에요. 딸이 집을 지어서 바로 옮길 곳이 있네."

내가 생각해도 참 다행이었다. 만약 완공되지 않았을 때 이런 일이 일어났다면? 뜬눈으로 밤을 새웠다. 너무 놀라 잠이 오지 않았다.

"불이 났으니 집이 금방 팔리지 않을 거예요. 피해 본 부분을 수리해야 하고, 불 난 집이라는 인식이 흐려져야 매매도 가능하겠죠. 그러니 마음 비우세요. 큰 짐은 원래 버리려고 했으니 작은 짐만 챙겨서 오늘 바로 이사하세요."

부모님은 집 담보 대출을 해서라도 우리에게 조금의 보증금이라도 주려고 하셨다. 하지만 집이 화재 피해를 입어 심란한 상황이었다. 넉넉지 않은 수입에 봄이를 돌봐주고 계신데 대출 이자까지 부담 드리는 건 내키지 않았다.

꿈에 그리던 집을 짓고 그 집에 이사와 몇 달 동안은 집이 주는 기쁨을 온전히 누리지 못했다. 털어내지 못한 공사비 때문에 반년 이상 힘들었다. 공사비를 모두 정리하고 나서야 비로소 마음이 편안해졌다. 시간이 한참 흐른 뒤 봄이 아빠가 그동안의 소회를 말했다.

"돌이켜보면 한 달에 1억을 지출한 시기였어. 매달 엄청난 의사 결정을 하게 되는 거야. 우리가 가진 공사 예산으로 집짓기를 마무리할 수 있을지 매일 밤 걱정으로 밤잠을 설치곤 했어. 작업자들이 잘 먹어야 우리 집을 잘 지어줄 것 같아 신경써서 따뜻하게 챙겼지. 현장에서 고철을 주워 판 돈으로 인부들 간식을 사 왔어. 나 그때 정말 헝그리 정신으로 살았던 것 같아. 나를 위해 쓰는 돈은 한 푼도 없었어. 사치라고 느껴져서 커피 한 잔 사 먹는 것도 아꼈잖아."

눈물이 났다. 나도, 봄이 아빠도 참 힘든 시간을 버텼다.

"그때 매월 1억을 담을 수 있는 그릇이 만들어진 것 같아. 이즈미 마사토의 <부자의 그릇>이라는 책에서 '돈은 그만큼을 담을 수 있는 사람에게 간다'고 했거든. 내가 그때 두려웠던 건 당시에 그릇이 그닥 크지 않았기 때문이야. 그 경험이 나를 성장시킨 것 같아. 이제 한 달 1억의 그릇은 생겼다고 생각해. 내가 앞으로 돈을 신중히 다룬다면 10억도 다룰 수 있다는 자신감이 생겼어. 집을 지으며 여러모로 성장했어. 인생에서 정말 큰 경험이었기 때문에 시간을 되돌리더라도 나는 집을 짓는 선택을 할 거야."

큰돈을 쓰며 의사 결정에 날이 섰다. 두려웠지만 이겨냈다. 혼란스러웠지만 스스로 판단하고 결정했다. 결정에 대한 책임도 모두 우리에게 있었다. 책임지는 진짜 어른, 우리는 그렇게 성장했다.

봄이아빠 이야기 03

"상가주택 리모델링으로 월세 받으며 사는 법"

'상가주택에서 월세 받으며 살아볼까?' 누구나 한 번쯤 꿈꿔봤을 삶이다. 생각은 하지만 실천으로 옮기지 못한 이유는 무엇일까? 가장 높은 장벽은 '돈'일 것이다. 거주 중인 아파트를 팔아 상가주택을 짓는 것은 다소 어려운 과정이다. 하지만 오래된 주택을 구입해서 리모델링을 한다면 훨씬 접근이 쉽다. 나는 봄스테이 하우스를 짓기 전부터 수익형 부동산에 관심이 많았다. 그전에는 아파트를 구입해서 임대를 했다. 가지고 있는 자본이 적었기 때문에 전세를 끼고 샀다. 집을 지은 이후 주택 경매에 눈길이 갔다. 아파트는 경매 경쟁률이 높다. 하지만 오래된 보통 20년 이상 주택은 경쟁률이 낮다. 2020년 낙찰받은 주택이 두 곳인데, 각 경쟁률이 2:1, 1:1이었다. 어떤 상가주택을 경매로 낙찰받았다. 수익률을 어떻게 계산해서 구입했으며, 수리비용은 얼마가 들었는지, 그리고 최종 임대 후 수익률은 어떤지 정리해 보았다.

[사례 1] 마산 구암동 주택

- 토지 : 193.8m²(58.7평)
- 건물 연면적 : 200.5m²(60.7평)
- 낙찰가 : 2억2천만 원(시세대비 35% 저렴하게 구입)
- 수리항목

공사종류	자재비	인건비	경비	합계(단위 : 원)
철거공사			2,200,000	2,200,000
설비공사			5,700,000	5,700,000
목공사	1,021,900	1,980,000		3,001,900
도장공사	968,000	2,730,000	600,000	4,298,000
욕실공사	1,228,500	500,000		1,728,500
도배장판공사	953,100	1,380,000		2,333,100
가구공사			3,850,000	3,850,000
전기공사	200,000		2,530,000	2,730,000
옵션공사			1,229,580	1,229,580
바닥철거			1,500,000	1,500,000
가스공사			880,000	880,000
창호공사		200,000	4,950,000	5,150,000
판넬공사			407,000	407,000
부대공사	457,600	120,000		557,600
상가바닥공사	300,000	880,000		1,180,000
금속공사	919,100			919,100
기타공사		340,000	330,000	670,000
에어컨공사			1,474,000	1,474,000
총공사금액				39,828,780

직접 자재를 발주하고 인부를 고용해 약 4천만 원 정도 들었다. 업체에 맡기는 경우라면 예상 비용을 평당 100만 원 정도로 계산하면 쉽다. 물론 퀄리티에 따라 가감은 있다.

• 왼쪽이 리모델링 전 모습(시세 3억3천만 원)이고 오른쪽이 리모델링 후(시세 3억8천만 원, 2021년 5월 현재) 상태이다. 환하고 세련된 파란 지붕, 파란 대문집이 완성되었다.

• 수익률

집 매입가+각종 세금+공사비까지 총 2억6천8백만 원이 들었다. 시세보다 8천만 원 정도 적은 금액이다. 1층 주택 입주자가 상가도 이용할 수 있다. 만약 1층을 건물주가 사용했을 때 수익률을 가정해 보자. 시세가 3억3천만 원이니 1억7천만 원 정도 대출이 나올 것이라고 예상할 수 있다. 대출 이자는 월 60만 원 정도 부담해야 한다. 2층에 두 세대가 있고, 보증금 3천만 원과 월세 66만 원이 들어온다. 8천만 원으로 주택에 살며 내 사업장을 운영할 수 있는 것이다.

낙찰가 2억2천만 원 - 대출 1억7천만 원 + 리모델링 공사비 6천만 원(평당 100만 원으로 가정) - 2층 보증금 3천만 원 = 8천만 원

[사례 2] 창원 용호동 주택

- **토지** : 247m²(75평)
- **건물 연면적** : 254m²(77평)
- **낙찰가** : 3억3천만 원(시세 대비 31% 저렴하게 구입)
- **수리항목**

이 집은 마당 데크 공간과 주인 세대 전용 주차장을 확보하기 위해 사례1의 주택보다 추가 공사를 많이 했다. 면적이 더 넓고 호실도 한 개가 더 많아 리모델링 비용이 훨씬 많이 들었다. 남향이 아니기 때문에 단열에 신경을 많이 썼고, 창호도 새것으로 모두 교체했다. 데크가 넓어 바비큐 파티나 아이들 물놀이하기에도 충분하다. 리모델링에 든 공사비는 약 9천6백만 원이다.

- **수익률**

창원에서 카페 거리로 유명한 가로수길이 있는 동네로 입지가 좋다. 근처 아파트 시세가 34평 기준 8억 원 이상이다. 현재 1층 주인 세대와 상가를 제외한 3호의 주택을 모두 임대 놓았다. 집을 사서 1층에 주인 세대가 살며 상가를 운영한다

고 생각하고 사례1과 같은 방법으로 계산해 보자.

1억3천만 원으로 주택에 살며 내 사업장을 운영할 수 있다. 4억7천7백만 원이었던 수리 전 주택 가격은 리모델링 후 5억5천만 원 2021년 5월 현재 이상을 호가하고 있다.

낙찰가 3억3천만 원 - 대출 2억4천6백만 원 - 3호 보증금 합계 5천만 원 + 리모델링 공사비 9천6백만 원 = 1억3천만 원

• 30년 된 주택이 산뜻하게 탈바꿈했다.

• 2층 세입자 세대도 테라스가 넓어 테이블과 파라솔을 설치해 마당처럼 이용할 수 있다.

• 주인 세대라서 조명에 더욱 신경을 썼다.

• 주인 세대 야외 테라스. 측백나무가 자라면 자연스럽게 외부 시선이 차단될 것이다.

House Plan

대지위치	경상남도 김해시
대지면적	217m²(65.75평)
건물규모	지상 4층
건축면적	118.42m²(35.88평)
연면적	260.67m²(78.99평)
건폐율	55.08%
용적률	121.24%
주차대수	4대
최고높이	13.55m
구조	기초 - 철근콘크리트 팽이기초 지상 - 철근콘크리트
단열재	비드법보온판 2종1호
외부마감재	테라코 그래뉼씰, 폴리카보네이트
창호재	이건창호 아키페이스
에너지원	도시가스
조경석	이노블록
구조설계(내진)	맥구조
시공	건축주 직영
설계	05STUDIO http://05studio.kr
총공사비	5억2백만원(설계비 제외)

Section

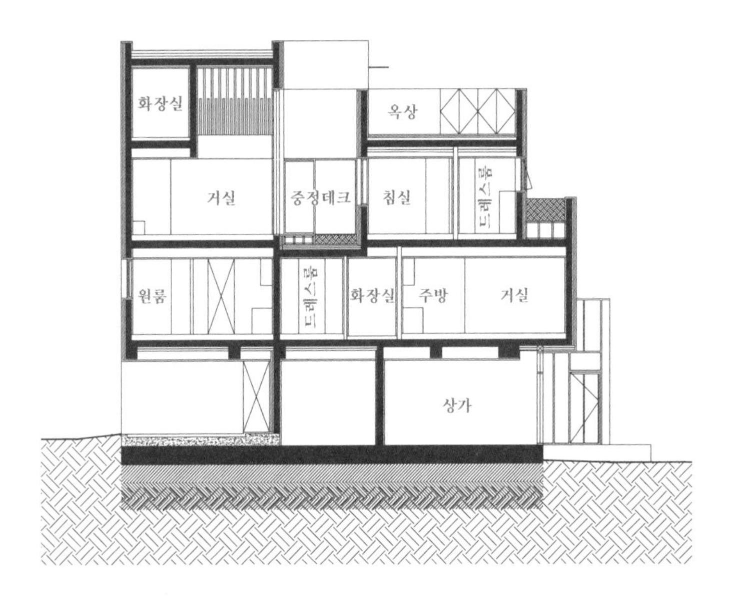

Diagram

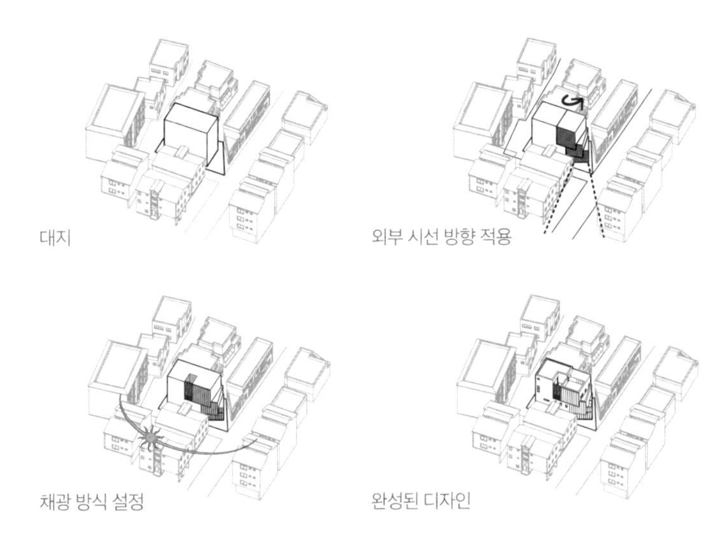

Interior Source

내부마감재	바닥 - LG하우시스 벽- 던에드워드 페인트, 일편백나무 천연벽지
욕실 및 주방 타일	국제타일
수전 등 욕실기기	대림바스
조명	공간조명, 메가룩스
계단재·난간	집성목, 환봉 및 평철난간
가구	제작
데크재	방킬라이
현관문	제작

ⓒ 전원속의 내집

Plan

3F - 78.63m²

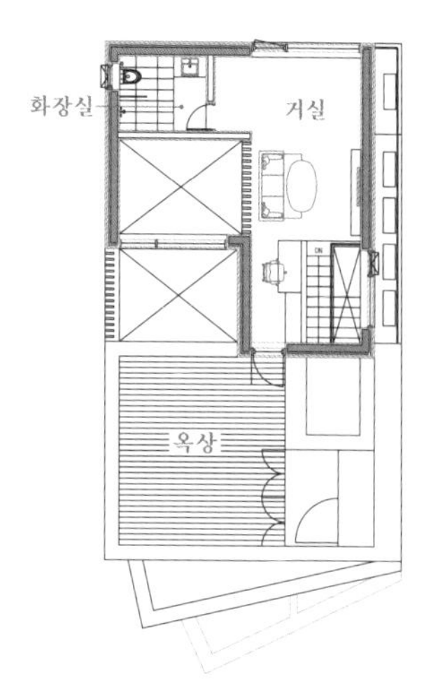

4F - 24.56m²

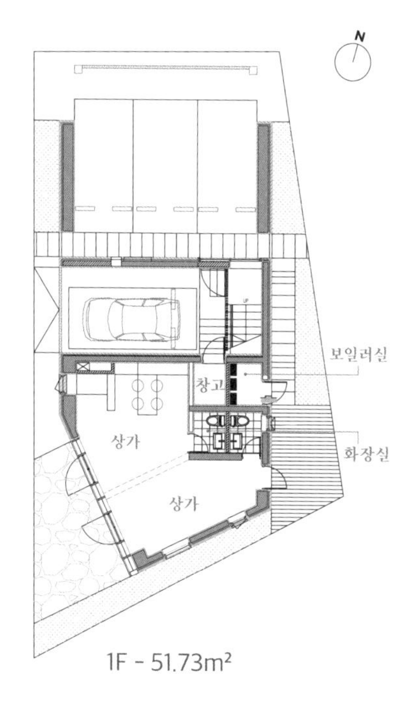

1F - 51.73m²

원룸
원룸
드레스룸
화장실
현관
화장실
주방
거실
침실

2F - 105.75m²

천신만고 끝에 입주를 마친 봄이네 가족. 머릿속으로 숱하게 그려온 집에 살게 되면서 꿈꿔왔던 주택 살이의 로망을 하나씩 실현해 나간다. 때마침 코로나19로 슬기로운 집콕 생활이 필요한 시점에 다시 한번 집의 가치를 발견한다.

봄이 오나 봄

#17

나무가 자라는 집

입주 후 세 계절을 지나 집 동편 화단에 심어 둔 애기동백이 처음으로 꽃을 피웠다. 원래 추운 계절에 꽃 피는 나무지만, 2월에 꽃을 보니 곧 봄이 올 것 같은 기분이 들었다. 겨울 동안 방치되어 있던 곳곳의 나무를 살펴보았다.

애기동백을 심은 곳은 우리 집 동편과 옆집 담벼락 사이, 그러니까 해가 거의 들지 않는 곳이다. 춥고 서늘하며 물을 따로 주지 않아도 잘 크는 종류의 나무를 추천받았다. 일반 동백보다 비싸지만, 해가 갈수록 가로로 부피감 있게 자란다고 했다.

'빨리 통통하게 자라서 우리 집 포토존이 되어줘. 그런데, 이렇게 건물 뒤편에 있기에는 좀 아깝게 예쁘다, 너.'

봄이 아빠는 사진을 보며 애기동백이 언제 이렇게 핀 적이 있었냐며 놀랐다. 확실히 뒤편에 있으니 눈길 주기가 어렵다. 계절마다 나무의 변화를 잘 살피며 '지금 이 시간'을 온전히 느껴야겠다고 생각했다.

우리 집은 총 8종의 나무가 자란다. 측백, 애기동백, 매화, 율마, 영산홍, 무늬억새, 블루베리, 오죽이다. 나무 한 그루마다 1년 반 동안의 우리 애정이 담겼다.

"1층 측백나무 상태가 심상치 않아. 지난주만 해도 멀쩡했는데 잎이 말라가는 것 같아. 심은 지 석 달밖에 안 됐는데, 왜 그럴까?"

주출입구가 있는 서편 벽면에 키가 비슷한 측백나무 다섯 그루를 심었다. 하얀 벽에 귀여운 측백나무가 키재기하듯 서 있는 모습이 볼 때마다 귀여웠다. 해가 다르게 쑥쑥 크는 나무라고 하니 더욱 기대가 되었다. 늠름하게 장성하면 크리스마스 장식을 해서 오가는 이웃들에게도 소소한 행복을 전하고 싶었다. 그런데 3번, 5번 측백이 나무 밑동부터 병들어가는 모습이었다. 조경업체 사장님을 급히 모셨다.

"갑자기 나뭇잎 색깔이 누렇게 변하기 시작했어요. 얼마 전에 화단 옆에 버려둔 커피가 있던데, 누가 지나가다 무심코 버린 음료 때문에 이렇게 될 수도 있나요?"

사장님은 뿌리를 보기 위해 삽으로 흙을 파내었다.

"측백이 원래 잘 자라는 나무인데, 초반 1년은 신경을 많이 써줘야 해요. 1년 동안 뿌리를 내리는데, 이때에 물이 아닌 커피나 콜라 같은 것은 좀 위험해요. 그런데 흙 상태를 보니 이 물질 때문에 그런 건 아닌 것 같고 물이 부족한 것 같아요. 두 그루는 아쉽지만 죽었어요. 계속 두면 잎이 다 말라 떨어질 거예요."

1주일에 한 번씩 물을 줬는데 왜 물이 부족한 것인지 이해할 수 없었다.

"나무를 둘러싸고 물고랑을 동그랗게 만들어 고랑에 물이 고이도록 흠뻑 줘야 해요."

죽은 측백을 뽑고 두 그루를 다시 심었다. 그런데 얼마 뒤, 처음 심어둔 측백 세 그루 중 두 그루도 지난번처럼 시들고 있었다. 조경업체 사장님께 다시 전화를 드렸다.

"그때 봤을 때도 두 그루 상태가 썩 좋지 않았어요. 여기 화단 밑에 상하수도관이 지나가 흙이 얕아서일 수도 있어요. 상태가 나은 한 그루는 동편 화단 빈 공간에 심어둘게요. 죽으면 어쩔 수 없지만 살아날 수도 있어요. 얘들이 생각보다 생명력이 강해요."

우여곡절 끝에 두 그루의 측백은 지금까지 쑥쑥 잘 자라났다. 12월에 크리스마스 전구를 감싸주니 지나가는 아이들 발걸음을 잡는 곳이 되었다. 겨울마다 골목을 따뜻하게 밝혀주는 나무로 우리 집을 계속 지켜줬으면 좋겠다. 오가는 이웃들께도 소소하지만 확실한 행복이 되기를.

• 측백나무에 LED 전구를 설치했다. 오가는 이웃들에게 따뜻한 겨울을 선물해드리고 싶었다.

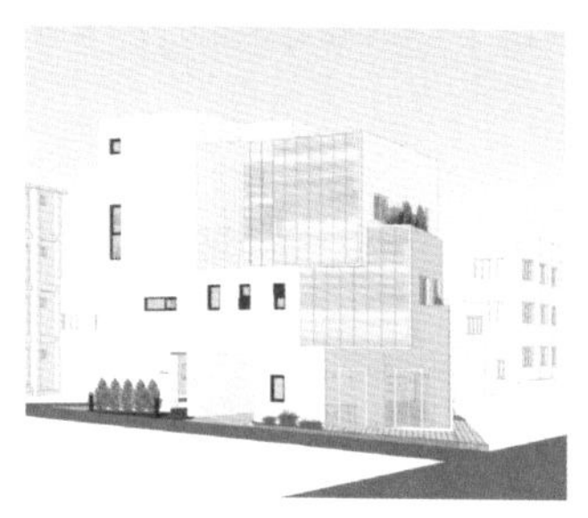

우리 가족의 관심을 가장 많이 받는 나무는 율마다. 이들은 우리 집 3층 거실 복도 끝 창문 너머에 있는 삼각형 베란다 공

간에서 자라고 있다. 상자를 엇갈려 쌓은 듯한 느낌을 극대화 하기 위해 층별로 꺾이는 곳에 조경을 설계했다. 하지만 시공이 꽤 까다로웠다. 그래서 2층 베란다에는 조경을 못하고, 3층에만 설계안 그대로 나무를 심었다.

"인공토에서 자라는 가벼운 나무여야 하중을 버틸 수 있어요. 높이도 높지 않아야 창문의 채광을 막지 않아요."

"모닝라이트와 무늬억새 같은 갈대류로 전체를 깔고 리아트리스 같은 야생화 종류로 중간에 포인트를 주면 어떨까요. 남향 햇빛을 받으면 그린과 강조색이 어울려 멋질 것 같아요. 무슨 꽃이 피어 있는 집, 또는 갈대집 이렇게 부를 수 있는 집이면 좋겠어요."

감각적인 이 소장님 말씀을 듣고 조경 설계 도면을 보니 색상 조합이 너무 좋았다. 화이트 벽에 초록초록한 율마와 억새, 그리고 보라색 꽃. 여자들이 화장할 때 색조 메이크업이 화룡점정이듯 보라색 꽃은 완성된 우리 집의 미관을 더욱 돋보이게 할 것 같았다.

"아, 여긴 식물이 자라기 힘들 텐데요. 율마는 몰라도 리아트리스나 억새는 금방 죽을 겁니다."

조경업체 사장님의 만류에도 불구하고 우린 설계대로 심어 달라고 했다.

살아보니 베란다 공간에 심은 식물이 여러모로 문제였다. 율

• 3층 베란다 율마

• 3층 베란다에서 바라본 억새와 동네 풍경

마는 물을 무척 좋아하는 나무라서 여름에는 주 2회 정도 물을 듬뿍 줘야 했다. 그런데 베란다로 나가려면 드레스룸 4단 서랍장을 밟고 올라가 창문을 넘어야 했다. 릴 호스를 사서 물을 주면 쉽게 해결되는 문제였지만, 그땐 릴 호스를 미처 떠올리지 못했다. 주 2회씩 창문을 넘어 물을 주려니 번거로웠다. 어쩌다 한 번 물주기를 거르면 율마는 금세 노랗게 변했다. 이미 측백나무가 네 그루나 죽었기 때문에 율마 만큼은 고사시킬 수 없었다. 조경업체 사장님 말씀대로 무늬억새와 리아트리스가 살기 어려운 환경인 것 같았다. 율마만 삐죽하게 키가 자랐고, 다른 식물은 땅을 뚫고 올라오지도 못했다.

"예쁘지도 않고 신경은 엄청나게 쓰이고, 물주는 일도 어려워. 베란다에 식물을 괜히 심었나 봐."

그래도 창문턱에 앉아 바라보는 동네 풍경이 참 좋았다. 영화 타이타닉에서 주인공이 뱃머리에 서서 망망대해를 바라볼 때와 같은 기분을 느낄 수 있었다. 우리에게 3층 베란다 율마는 애증의 나무였다. 그렇게 입주한 지 1년이 지나 두 번째 장마철을 맞았다. 비가 자주 오는 계절이라 율마에 물을 주지 않아도 되니 좋았다. 장마가 끝나고 뙤약볕이 내리쬐는 여름, 율마에 물을 주기 위해 다시 서랍장을 밟고 올라가 창문을 열었다. 낯선 생명체가 보였다. 무늬억새가 자란 것이다. 씨앗부터 죽은 줄 알았는데 1년이 지나 이렇게 나타날 줄 몰랐다. 씨앗을 심은 만큼 풍성하게 자란 것은 아니지만 그래도 허전했던 베란다 흙을 조금 가려주는 것만으로도 감동이었다. 눈썰미 있는 아이도 변화를 알아챘다.

"엄마! 우리 집에 풀이 났어. 저것 봐, 저건 왜 이제 나왔어?"

"응. 땅속에서 올라오는 게 힘들었나 봐. 사실 엄마는 쟤가 땅속에서 시든 줄 알았거든. 자기는 올라오려고 나름 애쓰고 있는데 주인이 실망하는 것 같으니까 서운해서 천천히 올라왔나 봐."

"엄마, 나무도 우리말을 알아들어?"

아이가 순수하게 물어보았다. 아직 어리다고 생각해서 식물이 말을 알아듣는 것처럼 동화 같은 이야기를 한 적이 몇 번 있었다. 이제 동화보다는 조금은 현실적이면서도 눈에 보이지 않는 생명의 존재를 알려주고 싶었다.

"응. 우리말을 알아듣는 건 아니지만 우리가 사랑을 주는지 아닌지는 알아. 말을 하지 못한다고 해서 생명이 아닌 건 아니야. 봄이가 사랑을 듬뿍 주면 더 잘 자라고, 관심을 주지 않으면 금방 시들시들해져. 그러다가 죽을 수도 있고."

"그렇구나. 봄이는 나무 많이 사랑할 거야."

어느 날 아이가 서편 화단에 쭈그리고 앉아 있었다. 무얼 하고 있나 가까이 가서 보니 율마에게 말을 건네고 있었다. 귓속말하듯 속삭였다.

"언니가 사랑해. 율마야, 쑥쑥 자라~"

그 율마는 원래 2층 베란다에 심으려던 것인데, 그곳에 조경을 하지 않게 되어 주문한 것을 물릴 수가 없어 급히 집에 있던 화분에 심어둔 것이었다. 신경을 쓰지 않았더니 잎이 타들어 가듯 말라 죽어갔다. 조경업체 사장님이 오셨을 때 진단해 달라고 했더니 완전히 죽은 것은 아니라며 과감하게 가지치기해서 빈 화단에 심어 주셨다. 눈에 띄게 못생겨진 모양새에 관심을 주지 못했는데, 아이와 함께 있는 율마를 보니 어느새 멋지게 자라 있었다. 삐죽빼죽 못생기고 작은 율마는 온데간데없고 처음부터 온전한 모습이었던 것 같은 멋진 모습으로 자라 있었다.

"이게 언제 이렇게 자랐지? 와, 대박이다. 엄청 멋있게 살아났어."

1년 정도 관심도 두지 않았던 율마를 보고 놀라지 않을 수 없었다. 이렇게 멋지게 자라는 동안 나는 왜 몰랐던 것인가.

2층에 사시는 엄마는 더 놀라운 이야기를 전해 주셨다.

"봄이가 어린이집 다녀올 때마다 나무 앞에서 조용히 뭐라고 말을 하더라. 가까이 가서 들어보니 '언니가 사랑해, 쑥쑥 자라' 이런 말이었어."

말의 힘은 대단하다. 옥상에 블루베리 나무를 심고 토마토도 키웠다. 아이는 사랑을 담뿍 담아 물을 줬고, 지난여름 우리 가족은 블루베리와 토마토를 자급자족했다. 나무와 함께 우리 가족 모두가 자란 시간이었다.

#18

드디어 실현한 복층 거실의 로망

"주인님, 저는 집 짓는 요정 지니입니다. 소원 딱 하나만 들어드릴게요. 원하는 공간 스타일 하나만 얘기해 주세요."

"딱 하나라면…, 층고가 높고 그만큼 커다란 창이 있고, 그 창으로 햇살이 가득 쏟아지는 거실을 만들어 줘."

어릴 때 부모님과 살던 집이 한 번도 정남향인 적이 없었다. 가족이 함께 시간을 많이 보내는 거실이 남향이 아니었기에 어둡고 추웠다. 그래서 내 의지대로 공간을 만들 수 있다면 개방감 있고 환한 공간이 최우선 순위였다. 층고가 높으면 실제 면적보다 실내가 훨씬 커 보일 것 같았다. 갤러리 같은 웅장함과 세련됨도 느껴질 듯했다. 또 높은 층고만큼 키가 큰 창이 있으면 하늘을 듬뿍 담은 거실이 완성될 것 같았다. 햇살과 하늘이 거실과 함께하길 원했다. 그런 바람이 커지고 있을 무렵

한 권의 책이 내 손에 들어왔다. 유현준 건축가는 <도시는 무엇으로 사는가>에서 이렇게 말했다.

'주택은 천장이 높거나 낮거나 경사지는 등 다양하다. 물리적 공간의 체험이 다양하다는 말이다. 주택은 천장 높이가 다채롭고 마당은 천장 높이가 무한대이다. 다양한 공간체험, 이벤트, 날씨 등이 반영되고 우리의 기억 속에서 다른 책처럼 저장된다. 이런 기억이 모이면 10평 마당은 100평이 넘는 기억의 서랍에 저장되기 때문에 더 넓은 집으로 인식되는 것이다.'

상가주택이라 높이가 무한대인 마당은 갖지 못하더라도 중정으로 보완할 수 있었다. 실내 천장의 높낮이는 얼마든지 다양하게 설계가 가능했다.

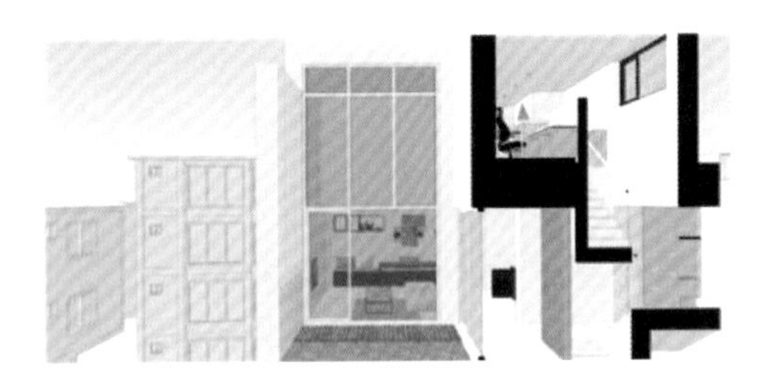

• 중정 단면 설계도

중정과 복층 공간이 어떻게 설계되었는지 볼 수 있는 설계 단면도다. 실제로 설계와 거의 똑같은 모습으로 완성되었다. 3, 4층에 설치된 비계를 해체하기 전까지 가장 궁금했던 공간이었다. 설계 단면도만 보고는 실제로 어떤 모습일지 가늠이 되지 않았다.

층고가 높기 때문에 거실 천장 조명이나 도장 작업, 실링팬 설치 등을 위해 높은 구조물이 필요했다. 구조물이 있을 때 높은 위치 작업을 모두 다 끝내야 했다. 그래서 바닥이 콘크리트 마감 상태일 때 서둘러 커튼도 설치해야 했다.

'층고가 높아서 커튼을 설치하면 탈부착이 어려울 텐데…. 탈부착이 어렵더라도 예쁜 건 커튼이지. 전동 블라인드는 고장이 잘 난다고 하고. 어떻게 해야 할까?'

탈부착이 어렵다고 해서 아무것도 설치하지 않을 수 없었다. 중정 너머 거실로 들어오는 햇빛을 감당하려면 무엇이 되었든 설치해야 했다. 결국 난 예쁘고 불편한 것을 선택했다.

• 복층 거실 / ©송유섭

"높이 5.5m 커튼 제작되나요?"

커튼 제작 업체를 찾는 것부터 난관에 부딪혔다. 온라인에서 나비주름 커튼 1등 판매 업체에 문의했는데, 한 번도 이렇게 높은 커튼은 제작해본 적이 없다고 했다. 5.5m 높이의 커튼을 제작하려면 천 두 개를 이어야 해서 이음 부분이 눈에 띌 것을 우려했다. SNS를 뒤져 드디어 복층 커튼 제작 사례가 많은 소규모 업체를 발견했다. 이음 부분 없이 5.5m 커튼 제작이 가능했고, 경험이 많은지 자신 있는 듯했다. 그렇게 주문한 커튼을 아직도 콘크리트 먼지가 날리는 거실에 설치했다. 차르르 내려오는 하늘하늘한 리넨 커튼에, 생각보다 일찍 도착한 해외 직구 소파를 배치하니 그 공간만큼은 다 완성된 멋진 카페 같았다.

2019년 4월, 아직도 공사 중인 거실에서 내 생일 케이크 촛불을 껐다. 입주하고 한 달 동안은 진짜 여기가 내 집이 맞는지 실감이 나지 않았다. 꿈꾸던 공간에서 살아보니 구름 위에 떠 있는 기분이었다.

복층 집을 지을 때 여름에 덥지 않을까, 겨울은 더 춥지 않을까 염려가 되었다. 하지만 걱정보다도 복층 집에 살고 싶다는 기대가 더 컸다.

'더우면 에어컨 켜고, 추위는 보일러로 해결하면 되지. 그리고 공기 순환을 도와주는 실링팬을 설치하면 괜찮을 거야.'

입주 후 두 달이 지나 한여름이 됐다. 실링팬은 확실히 도움이 되었다. 그리고 염려는 현실이 되었다. 복층 구조 때문이라기보다 창이 너무 커서 햇살이 많이 들어왔다. 집 안이 더운 건 당연했다. 우리 집은 정확히 말하자면 3, 4층 두 개 층이 아니라 2.5층부터 4층까지다. 현관이 2.5층부터 시작된다. 중문이 따로 없기 때문에 3층 에어컨의 시원한 공기가 2.5층으로 내려가는 것도 한몫했다.

• 2.5층 계단에서 바라본 4층 천장까지 모습

겨울은 날씨에 따라 집 안 온도가 크게 좌우되었다. 해가 환하게 뜨는 날은 실내 온도가 25℃ 가까이 올라갔다. 하지만 흐린 날은 서늘한 기운이 느껴졌다. 단열에 심혈을 기울였지만, 확실히 아파트보다는 추웠다. 3, 4층이 분리된 구조라면 중간에 4층 바닥 면이 공간을 끊어주고 또 4층에서 보일러를 틀면 훈기가 3층으로 내려온다. 하지만 우리 집 거실은 그런 구조가 아니었다. 가스비가 아파트에 살 때보다 많이 나왔다. 그렇다고 아파트만큼 따뜻한 것도 아닌데 말이다. 복층 주택의 로망을 실현한 기쁨에 구름 위를 떠다니던 나는 어디로 간 것인지, 냉난방비 때문에 실망한 나만 남아 있었다. 그때 유현준 건축가의 책에서 읽었던 다른 대목이 떠올랐다.

'체적이 넓은 공간을 점유하고 있다는 것은 그만한 체적의 공간을 여름에는 시원하게, 겨울에는 따뜻하게 할 수 있는 비용을 지불할 능력이 있음을 간접적으로 보여준다.'

체적이 넓은 공간에 살려면 쾌적하게 유지하기 위한 비용을 지불하겠다는 마음을 가져야 하는 것이었다. 냉난방비가 아파트에 살 때보다 많이 나오지만 다른 관리비를 절감하고 있어서 관리비 명목의 지출 총합은 아파트에 살 때보다 지금이 더 적다. 마음가짐을 고치기로 했다. '나는 이렇게 가치 있는 공간에 살고 있고, 그 가치를 누리기 위한 비용을 기꺼이 지불하겠다'라고. 그렇게 마음을 달리 먹으니 복층 주택의 장점이 다시 눈에 들어왔다. 코로나 때문에 예전보다 외출하는 횟수가 줄었지만, 하늘을 품은 층고 높은 주택에 살고 있어 갑갑하지 않다. 천장의 높낮이가 다양한 이 집에서 아이는 다채로운 경험을 켜켜이 쌓아간다. 그건 그렇고 5.5m 커튼 세탁은 어떻게 하냐고? 글쎄, 그게 아직도 해결되지 않은 문제다(하하).

#19

중정이 있어 북향도 괜찮아

"너희는 집 알아볼 때 어떤 걸 가장 중요하게 살펴봐?"

"난 초등학교가 가까이 있는지."

"야, 난 무조건 남향인지부터 봐. 신혼집을 멋모르고 동향집 구했다가 고생했잖아. 주말에 늦잠 좀 자고 싶은데 햇살 때문에 강제 기상하고, 겨울에는 추워서 힘들었어."

"아, 나도 그래. 전세라면 몰라도 내 집 사는 거라면 좀 더 비싸도 남향에 로열층이지."

친구들과 이런 대화를 나눈 적이 있다. 나도 당연히 남향을 선호했다. 하루 동안 햇빛을 얼마나 받느냐가 심리에 영향을 미친다. 하루하루가 모여 인생이 되기 때문에 집에서부터 밝은 기운을 매일 받아야 회복 탄력성이 커진다고 생각한다. 그래서 땅을 알아볼 때 인접 대지 위치와 옆 건물을 허물고 신축했을 때 우리 집 일조권에 미치는 영향까지 고려했다. 그렇게 심사숙고해서 고른 땅에 지은 우리 집의 거실은 북향이다.

• 옥상에서 바라본 중정 / ©전원속의 내집

큰 창이 있는 복층 거실을 원했다. 거실을 남향에 배치하면 집 앞에 있는 길과 서편에 있는 길 쪽으로 사생활이 노출되는 게 문제였다. 그래서 중정을 택했다. 남쪽 길에 가까운 곳에 드레스룸을 넣고 그 옆에 침실을 배치했다. 중정을 건너 거실이 가장 안쪽인 북쪽에 위치하도록 했다. 중정 덕분에 북향이지만 남향과 똑같은 채광을 누리고 있다.

중정을 통해 거실로 들어오는 햇살은 앞에서도 이야기했듯이 겨울에도 한낮 실내 온도를 25℃ 가까이 유지해 준다. 주방에는 동쪽 뷰가 시원하게 보이는 큰 창이 있다. 그리고 거실

테이블 옆에 서쪽으로 지는 해를 느낄 수 있는 좁고 긴 창이 있다. 바쁜 직장 생활로 새집에 입주한 이후, 하루 종일 집에만 있었던 날이 거의 없었다. 그러다가 우연히 아침부터 저녁까지 방향을 바꾸며 들어오는 햇살과 함께 변하는 집의 풍경을 관찰하게 되었다.

"봄이 아빠. 처음에는 몰랐는데 지내보니 우리 집이 얼마나 잘 설계되었는지 알겠어. 해가 뜰 때부터 질 때까지 온종일 집안으로 빛이 들어와."

• 주방 동편 창 / ©전원속의 내집

• 햇살 가득한 거실 / ©전원속의 내집

평소 새벽 일찍 일어난다. 밖이 한참 어두운 시간에 일어나 글을 쓴다. 글 쓰고 책을 읽다가 배가 고파질 무렵 해가 뜬다. 그럼 주방에 가서 창문 너머 보이는 동편의 동네를 바라보며 커피를 내린다. 커피와 함께 먹을 토스트도 준비한다. 진작 일어났지만 해가 떠야 진짜 하루가 시작된 느낌이 든다. 뜨는 해를 보며 오늘 하루도 재밌게 살아 보자고 다짐한다.

• 남쪽을 향한 복도 끝 창 • 거실 테이블 옆 서편 창

해가 정중앙에 뜨면 중정으로 아주 많은 햇살이 들어온다. 집에 들어오는 빛의 양으로 부의 크기를 따진다면 나는 손에 꼽히는 부자일 것이다. 중정뿐만 아니라 거실에서 남쪽으로 난 복도 끝에서도 해가 들어온다. 복도 끝 창 덕분에 시야가 갑갑하지 않고 그 앞에 놓인 극락조가 어우러져 멋진 플랜테리어가 완성되었다. 또 거실 테이블에 앉아 있으면 서쪽으로 지는 해가 테이블 깊숙이 들어온다. 좁고 긴 프레임 속 동네가

정겹다. 멀리 보이는 산등선에 누워 있는 주황빛 노을이 비치면서 오래된 동네 풍경이 아련해진다.

중정을 사이에 두고 침실과 거실이 있다. 어느 곳에서든 중정을 볼 수 있도록 창이 크게 나 있다. 그래서 침실에서 커튼을 열면 거실에 있는 사람이 무엇을 하고 있는지 알 수 있다. 글을 쓰고 있는 지금, 아이가 침대 위를 폴짝폴짝 뛰며 내게 손을 흔든다. 이런 사소한 경험이 쌓여 추억이 된다.

• 침실에서 중정이 보이는 창 / ©전원속의 내집

• 3.5층 고정창

3.5층 창은 오로지 바깥 풍경을 감상하기 위한 고정창이다. 날씨와 시간에 따라 다른 풍경을 보여주는 이 창은 우리 집에서 내가 두 번째로 좋아하는 창이다. 어느 날 새벽 3.5층 책상에서 글을 쓰다가 해가 떠오르는 풍경에 마음이 너무 평온해

져 남편을 불러 함께 바라보았다.

"우리 집짓기 참 잘했다. 그치? 아파트에 살았다면 창문으로 이렇게 다양한 풍경을 보지 못했을 거야."

그날 봄이 아빠 외할아버지의 부고 소식을 접했다. 곧 백수를 바라보고 계셨는데, 기력이 다하신 것 같았다. 밤에 봄이와 이곳에 앉아 창밖을 바라보았다. 창 너머 저 멀리 불빛이 별처럼 보였다.

"엄마, 왕할아버지 하늘나라로 가신 거야?"

"응. 오늘 하늘나라로 가셨어."

"그럼 저기서 우리 보고 계셔?"

"그럼. 봄이가 엄마 말 잘 듣는지, 밥 잘 먹는지 전부 다 보고 계시지."

"왕할아버지 드리려고 하트 만들었는데. 이거 못 드렸는데."

그러더니 손으로 하트를 만들었다. 그러면서 말했다.

"왕할아버지 사랑해요. 하늘나라에서 잘 지내세요."

하늘나라가 어떤 의미인지 아직 알지 못하는 봄이는 지금도 가끔 창가에서 왕할아버지가 저 멀리에서 보고 계시다며 하늘을 가리키곤 한다.

태풍이 거세게 몰아친 여름날이었다. 4층 아이방 창문으로 동네 뒷산 나무들이 심하게 흔들리는 모습이 보였다. 집 여기저기에 있는 나무들이 잘 버틸지 걱정이 되었다. 중정 오죽도

• 4층 아이방 북편 창

부러질 것처럼 흔들렸다. 단단히 무장하고 봄이 아빠와 나가서 대나무 가지를 노끈으로 묶어 주었다. 거센 바람이 몰아치는 소리에 겁이 났다. 집 안에서 봄이는 "엄마 아빠, 화이팅!"을 외치며 응원을 하고 있었다. 엄마 아빠가 무슨 전투에 나간 듯 보였던 모양이다.

3층 베란다 율마가 걱정돼 창문으로 빼꼼 내다봤다. 지지대가 있지만 아슬아슬해 보였다. 제발 힘내서 버텨주기를 바라며 마음속으로 응원을 보냈다. 내 응원이 전해졌는지 율마가 살짝 기울어지긴 했지만 뿌리에는 이상이 없었다. 잘 버틴 율마는 이후 키가 쑥 자라났다.

다양한 크기의 창문 때문에 온종일 해가 들어와 집 어디도 어두운 곳이 없다. 하지만 비바람이 거센 날 입체적으로 바깥 풍경을 볼 수 있기 때문에 걱정이 늘기도 한다. 우리 집 창은 해가 들어오고 바람이 드나드는 기능만 하는 게 아니다. 창이 액자가 되어 우리에게 시시각각 다양한 풍경을 선사한다. 크기도 방향도 다양한 창문 액자에서 오늘도 해가 뜬다. 단조로운 일상에 감성을 한 스푼 더하며 하루를 시작한다.

#20

코로나 시대 슬기로운 집콕 생활

"엄마, 내 생일에 어린이집 친구 다은이랑 지현이랑 승하 초대해서 놀아도 돼? 우리 집에 재밌는 거 많은데, 내가 좋아하는 친구들이랑 같이 놀고 싶어."

2020년 2월 말, 코로나가 급속히 번지며 어린이집 등원이 어렵게 되었다. 개학이 4월까지 미뤄졌다. 가격이 말도 안 되게 올라버린 마스크는 품귀 현상까지 빚어졌다. 사람들과 마주치지 않으려는 심리 때문인지 식자재 배송 사이트는 물량이 확보되는 대로 품절이었다. 초유의 사태로 집에서 지내는 날이 많아지고 '코로나 블루'라는 신조어도 생겼다. 한시도 가만히 있지 않는 어린아이가 있는 집은 답답함이 더 컸다.

2주째 집밖에 한 번도 나가지 못한 딸아이가 처음으로 어린이집 친구들을 보고 싶어 했다. 10월에 있을 자신의 생일 때는 친구들을 초대할 수 있으리라 기대한 것 같다. 당시에는 나도 10월쯤엔 코로나가 종식되지 않을까 예상했다. 비가 내리는 아침이었다.

"엄마. 우산 쓰고 싶어."

이제 막 일어난 봄이가 창밖을 보더니 난데없이 우산을 쓰고 싶다고 했다.

"그럼 우리 집 안에서 장화 신고 우산 쓰면 어때?"

• 우산을 쓰고 중정으로 나간 봄이

장화를 신기고 우산을 펼쳐 주었다. 중정 데크에 떨어진 빗물을 자박자박 밟으며 노래를 불렀다. 돌다리를 하나씩 건너며 알 수 없는 놀이를 즐겼다. 중정 자갈 바닥에 서서 발바닥을 비비니 사각사각 돌멩이 부딪히는 소리가 났다. 그 소리와 규칙적인 리듬감이 음악처럼 느껴졌는지 재밌다며 연신 깔깔

거렸다. 두 평 남짓한 중정에서 한 시간을 놀았다.

아이가 어린이집에 가지 못한 3월에 나도 재택근무를 했다. 일을 빨리 끝내고 아이와 놀아줘야 했다. 매일 그림 그리고 책 읽는 루틴이 반복되니 아이도 나도 지겨웠다. 그래서 적극적으로 집콕 놀이를 찾았다.

중정에서 모래놀이를 자주 했다. 아이와 함께 두꺼비집을 만들며 놀기도 했고, 혼자 잘 노는 날에는 아이 옆에 앉아 책을 읽었다. 휴원이 장기화되면서 어린이집에서 집콕놀이 기구를 보내주었다. 딸기 모종, 상추 같은 식물을 직접 키워보는 키트가 많았다. 중정에 아이 전용 미니 텃밭을 마련했다. 거기에 딸기, 상추 등을 심어 놓고 중정에 나오면 아이가 직접 물을 주도록 했다.

"엄마. 딸기가 빨개졌어."

• 데크 모래놀이 공간에서 놀고 있는 봄이

딸기를 집에서 키워본 건 나도 처음이었다. 빨갛게 익은 딸기가 먹음직스러워 보였다. 귀여운 그 딸기는 익는 대로 봄이 입으로 쏙 들어갔다. 상추는 솎아내서 먹기가 무섭게 쑥쑥 자랐다. 자기가 직접 심은 씨앗에서 초록 잎이 돋는 게 신기했는지 처음으로 상추쌈을 먹었다.

계단도 봄이의 좋은 놀이터였다. 아래에서부터 한 계단씩 올라가며 책을 한 권씩 읽어달라고 했다. 한 계단에 한 권씩, 계단에 앉아 책을 읽고 엄마와 가장 위 계단까지 올라가는 게 아이에게 재미있는 놀이였다. 지루해질 때쯤, 공간에 변화를 주면 리프레시 되는 것 같았다. 거실에서 4층 아이방, 계단실, 침실로 장소를 옮겨가면서 놀다 보니 실내에만 있어도 비교적 시간이 잘 지나갔다. 실내 놀이가 지루해지면 옥상에 올라가 하얀색 분필로 바닥에 사방치기 판을 그렸다.

• 계단도 아이의 놀이 공간이다

• 계단실 작은 도서관

"숫자가 적힌 칸 안에 돌을 던지고, 그 칸을 피해 뛰어야 해. 엄마 하는 거 잘 봐."

"이렇게 돌을 집어 돌아오면 저기는 엄마 땅이 되는 거야."

"그럼 여기는 봄이 땅!"

자기 땅이라고 하니 재밌는지 한동안 사방치기를 하며 힘든 집콕 생활을 버텼다.

황금연휴가 많은 5월이 되었다. 여행 가고 싶은 마음이 굴뚝 같았지만, 코로나 대확산이 우려된다는 뉴스를 보며 '조금만 참자. 여행은 내년에 가도 되니까'라고 생각했다. 집에서 캠핑 분위기를 내고, 도시락 싸서 동네 뒷산에 올라가 자연을 느끼며 정말 푹 쉬기로 했다.

• 옥상에서 고기 파티를 한 날

• 빔프로젝트 화면으로 뽀로로를 보고 있는 봄이

하루는 우리 가족끼리 옥상 파티를 했다. 블루투스 스피커에서 탑골 가요가 흘러나왔다. 5월의 저녁은 삼겹살을 구워 먹기에 딱 적당한 온도였다. 배부르게 먹고 탑골 가요와 함께 옛 추억에 빠진 나와 봄이 아빠를 배려해주듯 아이가 말했다.

"난 방에서 TV 볼래. 아빠 뽀로로 틀어줘."

평소에도 자주 보는 어린이 프로그램인데 벽면에 빔을 쏘니 근사한 어린이 영화관이 마련되었다. 아이 방에서 옥상 파티를 즐기는 엄마 아빠가 보였기 때문에 우리는 편안하게 각자의 시간을 즐겼다.

• 옥상 캠핑을 즐긴 날

• 옥상 수영장

하루는 시댁 식구들을 초대했다. 캠핑을 즐기는 고모 부부가 캠핑 장비를 옥상에 옮겨 왔다. 캠핑장에서 코로나에 걸린 사람이 생겼다는 뉴스가 난 지 얼마 되지 않은 날이었다. 캠핑장에 가는 게 꺼려져 고민 끝에 우리 집으로 여행을 온 것이다. 에어베드에 누워만 있어도 캠핑 온 기분이었다. 고기가 지글지글 구워지는 소리를 들으며 텐트 속에서 젠가를 했다. 이후 아이가 자꾸 캠핑하자고 조른다. 간단한 캠핑 도구를 사서 옥상 창고에 넣어 놓고 옥상 캠핑을 종종 즐겨야겠다.

미국에서는 코로나 이후 단독주택의 인기가 더 높아졌다고 한다. 부동산 중개 서비스 기업 컴퍼스Compass의 CEO 로버트 레프킨이 "코로나19 이후 컴퍼스 이용자들의 단독주택 검색량이 40% 증가했고 아파트에 대한 검색량은 감소했다"고 말한 뉴스를 보았다. 2020년 10월 26일자 MBN 뉴스에서도 '세종시 단독주택 단지 모델하우스에 어린 자녀를 둔 가정에서 문의를 많이 하고 있다'고 보도했다. 기사에 따르면 2020년 7~9월 단독주택 거래량을 분석한 결과, 지난해 같은 시기와 비교해 40%나 증가했다는 것이다.

윤택식 건축사는 기고문을 통해 "앞으로 건강하고 예쁘고 편안한 집에 '안전'이라는 아이템을 추가할 필요가 있다. 집은 가족을 지키는 최후의 방어막이어야 한다"고 말했다. 청정 클린룸 현관 시스템 설계, 현관 세면대 설치, 열회수환기장치 설치, 채광을 통한 태양광 살균 등 재미있는 공간 설계가 가능하다는 점에서 포스트코로나 시대 주택의 장점을 언급했다.

코로나의 위험을 피해 주택에 사는 것은 아니지만, 주택 살이를 하고 있는 상황에 각종 바이러스로부터 주택이 더 안전하다는 칼럼을 보니 집짓기 잘했다는 생각이 들어 뿌듯했다. 코로나가 발생한 지 1년이 넘은 지금도 여전히 그 기세는 꺾일 줄 모르고 있다. 이번 주말에는 집에서 또 무엇을 하고 놀까 고민해 본다. 그나마 다행이다. 집콕도 즐거운 주택 살이라서.

#21

주택 살이 만족도를 높이는 옵션

"밖에서 무슨 소리가 난 것 같은데, 봄이 아빠 CCTV 좀 확인해줘."

"바람이 많이 불어서 갤러리 앞에 세워둔 표지판이 쓰러졌네. 내려갔다 올게."

집을 짓는다고 말했을 때 친구들은 주택은 무섭지 않겠냐며 걱정을 했다. 1층 출입구부터 보안이 비교적 철저하고 경비실이 있으며, 현관문을 나서면 앞집, 옆집 문이 보이는 게 아파트의 엄연한 장점이다. 한 친구는 주택에 살아보고 싶은 생각이 들다가도 막상 보안 문제 때문에 꺼려진다는 것이다.

우리도 방범이 걱정됐다. 보안업체에 매월 비용을 내며 관리를 받을까 고민도 했다. 그런데 보안업체 스티커가 붙어 있는 것으로 어느 정도 범죄 예방이 되긴 하겠지만, 결국은 사고 후 출동하는 것 아닌가. 그래서 우리는 스스로 잘 지키는 쪽을 택했다. 집 곳곳에 CCTV를 설치하고 방범 안전 방충망을 달았다. 아울러 1층 로비 비밀번호가 노출되지 않도록 각별히 신경 쓰기로 했다.

• CCTV가 설치된 외관 / ©전원속의 내집

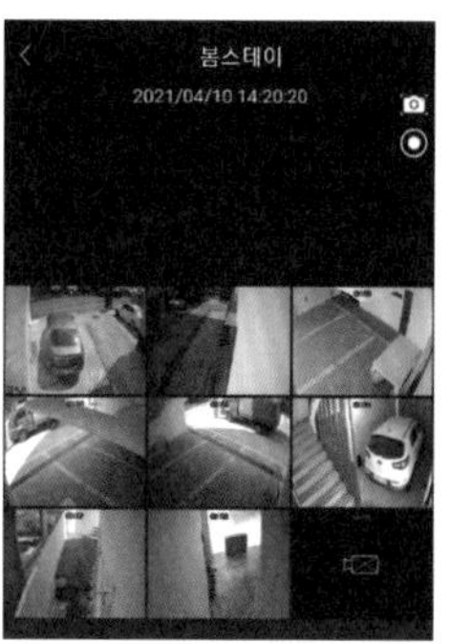

• CCTV 어플로 실시간으로 집 내외부를 볼 수 있다.

1층 출입구와 주차장, 상가, 그리고 집 외부 여기저기에 CCTV를 설치했다. 직장에 있을 때 우리 집에 무슨 일이 있는지 실시간으로 점검할 수 있고, 지난 시간 영상도 재생해서 확인할 수 있다. 우연히 집 안에 있다가 CCTV를 보았는데, 주차장에 잠시 꺼내둔 상가 가구를 누군가 가져가려고 했다. 깜짝 놀라 뛰어 내려가 저지한 일이 있었다. 또 세입자의 반품 택배가 분실된 적이 있었는데, CCTV 영상을 돌려 확인했더니 택배 기사가 이미 거둬 간 것이었다. 뿐만 아니라 CCTV 덕분에 갤러리를 무인으로 운영하고 있다. 누가 왔다 갔는지 확인할 수 있어 갤러리를 지키고 앉아 있지 않아도 안심할 수 있다. 직장에서 가끔 봄이 아빠가 갤러리에서 일하는 모습을 염탐하는 재미도 쏠쏠하다.

특별하게 제작된 방범 안전 방충망도 창에 설치했다. 방충망이지만 1t의 무게도 버틸 수 있어 저층 아파트에서 요즘 많이 설치하는 것 같다. 알루미늄 방범창은 가격이 저렴하지만 미관을 해친다. 군더더기가 없도록 마지막 디테일까지 심혈을 기울인 집에 교도소를 연상시키는 알루미늄 방범창을 설치할 순 없었다. 안전 방충망은 조금 비싸지만 미관을 지켜주고, 외부에서 내부가 잘 보이지 않도록 가려주는 효과도 있어서 잘 선택한 옵션이라고 생각한다.

우리 집은 101호, 201호, 202호, 203호, 301호 총 5호가 있는 다가구 주택이다. 101호와 301호는 우리가 쓰고 있고, 203호에는 부모님이 살고 있다. 그래서 세입자 세대는 201호, 202호 두 세대뿐이다. 아이가 있기에 안전을 최우선으로 생각했다. 그래서 여자만 세입자로 받았고, 여성 전용인 만큼 보안에 더욱 신경을 썼다.

'혼자 사는 여자들은 배달 음식 시킬 때도 걱정이 된다던데.'

'내가 집에 없을 때 택배를 안전하게 받을 방법은 없을까?'

우편함 옆에 무인 택배함을 설치했다. 기성품이 너무 비싸서 비교적 저렴한 철제 사물함을 사서 도어락을 설치한 다음 미리 마련해 둔 빈 공간에 넣고 주차장 벽 마감 작업을 했다. 세입자들에게도 1층 현관 비밀번호가 노출되지 않도록 신경 써 달라고 입주 시 당부를 드렸다.

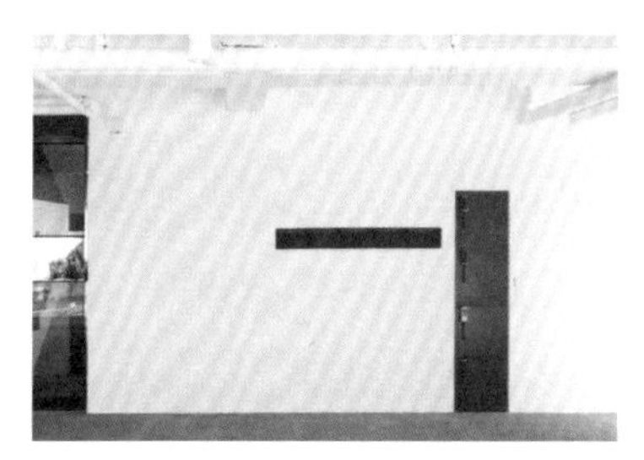

• 무인 택배함

아쉽게도 택배 물량이 많아 택배 기사분께 결국 1층 현관 비밀번호를 알려드리고 집 앞에 놓고 가시도록 했다. 우리 집은 2.5층부터 단독으로 쓰고 있어 세입자와 택배가 섞일 염려가 없다. 2층은 현관문이 모두 가까이 위치해 있어서 그런지 무인함을 종종 사용하는 것 같다. 그리고 배달 음식을 무인함에서 찾아 올라가는 것을 보기도 했다. 무인함까지 세심하게 설치해두길 잘했다는 생각이 들었다.

• 오버헤드도어 주차장 셔터가 설치된 모습

주택 생활의 만족도를 극대화 시켜준 건 주인 세대 전용 주차장이었다. 주인 세대와 세입자 세대의 주차 동선이 분리되도록 설계했다. 그리고 주인 세대 주차장에는 전동 셔터를 설치할 계획이었다. 하지만 준공 무렵 자금 부족으로 셔터를 달지 못해 한동안 아무나 현관문 앞까지 들어올 수 있었다. 여름에는 모기가 많았고, 겨울이 되니 현관문 틈 사이로 바깥 찬 공기가 숭숭 들어왔다. 가끔 이상한 종교를 전파하려는 불청객이 들어와 집요하게 초인종을 누르기도 했다.

"어어억~."

둔탁한 비명소리와 쿵쿵대는 소리가 들렸다. 잠시 후 어디서 한 대 맞은 듯한 얼굴로 봄이 아빠가 들어왔다.

"무슨 일이야?"

"집에 들어오는데 고양이가 2층까지 올라와 있는 거야. 다시는 못 오게 겁을 주려고 위협하다가 발을 잘못 디뎌 계단에서 넘어졌어. 계단 모서리에 등이 찍혔어. 너무 아프다."

더는 미룰 수 없었다. 주차장 셔터를 설치하기로 했다. 자동문 회사 중 업계 1위라는 곳을 선택해 견적을 받았다. 사실 대략적인 견적은 준공 전 받아 둔 상태였다. 앞서 통화한 분께 연락을 드려 정식 견적을 요청하고 가장 빠른 시공 날을 잡았다. 정오에 시작해 저녁 7시 무렵 작업이 끝났다.

"설치가 끝났습니다. 설치 상태를 확인하고 전기가 차단되었을 때 수동 개폐 방법을 알려드릴 테니 잠시 내려오세요."

작업 기사의 전화를 받고 얼른 내려갔다. 리모컨으로 개폐를 해보았다. 벅찬 감동이 올라왔다. 그리고는 한동안 주차장을 드나들 때마다 어깨가 한껏 올라갔다. 차 내부에서 리모컨만 누르면 스르륵 셔터가 올라가는 주차장을 갖게 되다니. 복층 거실이 눈앞에 드러난 날만큼 꿈만 같은 경험이었다. 더는 현관문 틈으로 찬바람도 들어오지 않고, 모기도 많이 사라졌다. 진작에 설치했어야 했다. 주차장 셔터 덕분에 삶의 만족도가 더욱 높아졌다.

대부분 다가구 주택의 1층은 상가와 주차장으로 구성되어 마당이 거의 없다. 그래서 중정이 있으면 좋다. 우리 집 중정도 마당이 없는 집의 한계를 보완해 주는 큰 역할을 한다. 여기서 하늘을 보며 마시는 커피 한 잔은 유명한 카페에 온 것 같은 만족감을 준다. 아이는 이곳에서 언제든 나무를 바라볼 수 있고 흙을 만질 수 있다. 중정으로 인해 주생활 공간인 거실이 북쪽에 위치해 있어도 남향 같은 채광을 누리고 있다.

단독주택은 외부인의 시선에 마당이 노출된 경우가 많다. 담장이 높다면 프라이버시를 지킬 수 있겠지만 단독주택 단지에 가보니 대체로 담장이 낮았다. 중정은 숨은 마당이 될 수 있다. 자연을 느끼면서도 외부 시선을 차단할 수 있는 프라이빗한 공간을 제공한다.

그 외에도 주택 살이의 만족도를 높이기 위해 계단 밑과 같은 죽은 공간을 잘 살려 창고로 활용하면 좋다. 주택에 살다 보면 아파트에서는 생각지도 않았던 공구의 필요성을 느끼게 된다. 드릴 세트는 기본이고, 사용한 페인트 여분도 보관해 두어야 보수할 때 유용하게 사용할 수 있다. 데크용 오일스테인이나 브러쉬, 야외 청소용 빗자루 등도 보관해야 한다. 그래서 틈새 창고는 많을수록 좋다. 우리 집은 1층 주인 세대 주차장의 창고, 1층 뒤편에 위치한 2층 세대 보일러실, 4층 옥상에 있는 주인 세대 보일러실에 여유 공간이 있어 창고로 활용하고 있다.

이밖에 실링팬 설치를 권한다. 실링팬은 따뜻한 공기와 찬 공기를 순환시켜 주는 역할을 한다. 주택은 아파트와 달리 한 집 안에서도 다양한 층고를 구현할 수 있다. 우리 집처럼 층고가 높다면 특히 공기 순환을 도와줄 수 있는 장치가 유용하다. 우리는 3층 거실과 3.5층 계단실 두 곳에 실링팬을 설치해 유용하게 사용하고 있다.

#22

행복한 주택 살이를 위한 마인드셋

세입자로부터 전화가 오거나 문자가 오면 두렵다. 보통 집에 어떤 문제가 있거나 갑자기 이사해야 한다는 등 주인이 해결해야 할 문제를 던져주는 경우가 대부분이기 때문이다. 2층 세입자 중 한 분은 '저기 살고 계신 게 맞을까?' 궁금할 정도로 조용하게 산다. 얼굴도 거의 마주친 적이 없다. 그런 분께 문자가 왔다. 문자를 읽어 내려가는 봄이 아빠 눈빛이 심상치가 않다.

"무슨 내용이야?"

"바퀴벌레가 나왔나봐. 작은 바퀴벌레가 한 마리 나와서 그냥 넘어갔는데, 어젯밤에는 큰 바퀴벌레가 나와서 밤새 잠을 못 잤대."

좀처럼 연락이 없었던 세입자가 아침부터 문자를 보낸 걸

보면 얼마나 다급한지 충분히 이해되었다. 며칠 전 우리 집에서도 바퀴벌레 한 마리가 나왔다. 새집에 웬 바퀴벌레냐며, 아마도 요즘 오래된 주택 리모델링 일을 다니는 봄이 아빠 가방에 옮겨온 것인가 생각했다. 그런데 그게 아닌 모양이다. 바퀴벌레는 한 마리가 보이면 실제로 100마리가 살고 있다는 말이 있어 두려웠다.

"초반에 잡아야 해. 당장 해충 퇴치 업체 부르자. 두 군데 정도 견적 받고 방역 일정 바로 잡자."

봄이 아빠는 열 일 제쳐두고 방역 업체를 선정했다. 집 내부 바퀴벌레 및 각종 벌레를 퇴치하고 건물 외부에서 들어오는 바퀴벌레 차단을 위한 소독과 코로나 예방을 위한 건물 복도 살균까지 해준다고 했다. 보증 기간은 6개월이지만 1년 정도 효과가 지속하여 1년에 한 번 정도 방역하면 된다고 했다.

방역은 전 입주 세대를 동시에 해야 했다. 모든 세대가 집에 있는 시간에 맞춰 방역 작업을 시작했다. 작업하는 분 옆에 붙어서 이것저것 물어보았다.

"아파트 살 때는 바퀴벌레를 한 번도 본 적이 없어요. 우리 집은 이제 지은 지 1년밖에 되지 않았는데 바퀴벌레가 왜 나오는 걸까요? 저층이라서 그런 거예요?"

"아닙니다. 저희가 바퀴벌레 퇴치하러 출동하는 곳은 주택보다 아파트가 더 많아요. 아파트라도 구도심에 위치한 경우 오래된 상수도 시설과 연결되어 바퀴벌레가 나와요. 같은 상

•방역 중인 1층 갤러리

•수도 계량기함의 바퀴벌레 퇴치 중

하수도 배관을 쓰는 라인에서 바퀴벌레가 발생했는데, 그걸 계속 방치하면 바퀴벌레가 배관을 타고 위로 계속 올라가면서 퍼져요."

"그럼 우리 집은 저층인 게 문제가 아니라 구도심이라서 상수도 시설이 오래돼 바퀴벌레가 많은 건가요?"

"네. 아까 1층 상하수도 계량기함을 열어보았는데 바퀴벌레 몇 마리가 있었어요. 아마 거기가 집일 거예요. 집을 짓는 동안 땅에서 진동이 일어나니 그때는 얘들이 멀리 도망가요. 도망갔다가 다시 안정되니까 모여든 거예요. 상하수도 계량기 안으로 들어와 배관을 타고 집으로 들어오는 거죠."

작업자들이 집 구석구석 살피며 약을 뿌리기도 하고, 치약 같은 제형의 약을 아주 조금씩 구석에 발라두기도 했다. 다행히 집 안에 사는 바퀴벌레는 없고 한두 마리가 배관을 타고 들어온 것 같다고 했다. 1~2개월 동안은 집 내외부에서 바퀴벌레 사체를 만날 수도 있다며 미리 귀띔해 주었다. 코로나 예방 방역까지 하고 나니 해충 안전지대가 된 것 같아서 마음이 놓였다. 세입자도 빨리 조치해 주어서 고맙다고 인사했다. 아파트에 살 때는 방역 안내문이 붙으면 괜히 귀찮다고 생각했다. 시간 맞춰 집에 사람이 있어야 하고 가끔 식물을 옮겨 두어야 할 때도 있었다. 주택에 살아보니 새삼 관리사무소의 존재가 고마웠다. 안락한 주택 살이를 위해 나와 봄이 아빠가 주기적으로 해야 할 일이 하나 더 생겼다.

“제8호 태풍 ‘바비’가 25일 오늘 제주 남쪽 해상으로 올라와 27일 오전 서울에 가장 근접할 것으로 보입니다. 많은 비와 함께 강한 바람이….”

태풍이 오기 전, 주택에서는 대비할 일이 많다. 우리가 주거하는 곳뿐만 아니라 갤러리가 있는 1층 상가 내외부 시설물도 살펴보아야 한다. 1층 갤러리는 일반 상가보다 층고가 높아 유리창 한 장 크기도 좀 크다. 그래서 태풍이 오기 전 유리에 뽁뽁이를 붙인다. 뽁뽁이는 풍압을 분산시키고, 혹시나 유리가 파손되었을 때 유리 파편이 사방으로 튀는 것을 막아 준다. 다음으로 조경수를 살펴본다. 입주 첫해에 강풍을 만나 3층 율마가 쓰러진 적이 있었다. 1층에 몇 그루의 나무에 지지대를 설치했고, 중정에 있는 오죽은 가지 전체를 하나로 묶어 두었다. 우리 집 외부 공간에 놓인 시설물이 날아가 다른 집 차에 부딪히는 등 위험 요소가 있는지도 함께 점검했다. 옥상에도 날아갈 수 있는 물건이 있는지도 살핀다. 여름철 옥상에 아이가 놀던 간이 수영장도 거둬들였다.

전기가 차단되었을 때 어떻게 할지 미리 대책을 세워두면 좋다. 비가 많이 내린 날 주차장 셔터와 연결된 전기가 차단된 일이 있었다. 셔터를 수동으로 개폐해야 하는 방법을 잘못 이해해서 끝내 셔터를 열지 못하고 급하게 택시를 불렀다. 이렇게 태풍 소식에 예민하게 반응했다. 여름에 할 일 하나가 더 늘었다.

"매년 10월 둘째 주 토요일."

이날은 내가 정한 '데이'다. 기온은 물론이고 바람과 햇볕도 적당한 날. 바로 '오일스테인 칠하기에 딱 좋은 날'이다. 데크를 설치한 곳이 두 곳 있다. 1층 갤러리 뒤편과 3층 중정이다. 입주하고 두 번째 여름이 지난 어느 날, 데크가 희끗희끗해진 것이 눈에 들어왔다.

'아, 나무 색깔이 그대로 유지되는 게 아니구나. 햇빛을 받으면 빛이 바래지는구나.'

"봄이 아빠, 오일스테인 사서 주말에 칠해야겠어."

먼지 청소부터 시작했다. 에어컴프레셔로 먼지를 털어내고 브러시로 데크 틈새에 낀 먼지를 빗어냈다. 페인트칠을 할 때는 전 처리가 중요하다. 에어컴프레셔로 먼지 털어내는 게 재밌는지 아이가 자꾸 자기한테도 뿌려달란다.

"키키키키…."

연신 웃으며 자기도 먼지 청소를 할 수 있다며 엄마를 따라 브러시 작업에 열심이다. 아이에게는 이런 일도 놀이로 받아들여지니 다행이다.

"주택에 살려면 에어컴프레셔도 갖춰야 해요?"

누군가가 이렇게 물어볼까 봐 말씀드린다. 있으면 좋지만 없어도 그만이다. 그냥 빗자루로 쓸어도 된다. 청소가 끝난 후 롤러로 칠을 시작했다. 봄이 아빠는 현장에서 페인트 시공 과정을 많이 봤고, 가끔 본인이 직접 할 때도 적지 않아서 준전문가급이다. 그래서 중정 데크와 1층 데크를 칠하는 데 두 시간밖에 걸리지 않았다. 오일스테인이 마를 동안 도시락을 싸서 코스모스 구경을 다녀왔다. 돌아와 선명해진 데크를 보니 다시 새것이 된 것 같았다. 처음 시공할 때도 중요하지만 유지와 보수도 중요하다.

솔직히 고백하자면, 2019년 5월 입주 후 두세 달 정도는 주택에 사는 기쁨을 잘 몰랐다. 힘들게 지어 꿈만 같은 공간에 살게 되었는데도 즐거움보다는 집 정리의 부담과 고통이 컸다. 여차여차한 이유로 이삿짐센터에서 짐 정리를 60% 정도밖에 하지 못해 거의 5월 한 달은 퇴근 후 매일 집 정리를 했다. 그리고 몇 군데 하자가 눈에 들어왔다. 시공사에 맡겼다면 곧바로 AS를 요청하며 불이 나게 전화했을 것이다. 그런데 우

• 다시 예뻐진 중정 데크

리는 하자를 요청할 시공사가 없다. 남편이 직접 시공했기 때문이다. 3층 욕실 문은 히든 힌지를 잘못 사용해 문이 꽉 닫히지 않았다. 사소하게는 못이 튀어나온 부분도 있었다. 그처럼 마감이 덜 된 부분이 눈에 들어왔다.

결정적으로 물이 샜다. 비가 많이 내린 날 옥상과 4층 아이 방을 연결하는 문 근처에서 물이 흘러들어 온 것을 발견했다. 그쪽 벽지를 뜯어보니 석고보드 일부가 퉁퉁 불어 있었다. 진작부터 물이 새고 있었던 것이다.

"하, 내가 방수에 얼마나 최선을 다했는데…. 정말 눈에 불을 켜고 살폈는데. 그래도 이렇게 물이 새는 부분이 생기다니. 방수 작업이 정말 어려운 거구나."

남편이 단열과 방수에 얼마나 촉을 세웠는지 잘 알고 있었기에 뭐라 말을 할 수가 없었다. 일단 물이 새는 부분을 확실히 찾아야 해서 좀 더 지켜보기로 했다. 새집에 입주한 기쁨을 느끼기도 전에 몇 대 얻어맞은 느낌이었다. 제대로 다 짓고 들어왔어야 했는데, 덜 지어진 집에 무리해서 입주한 기분이었다. 그때 몇 권의 집짓기 책을 읽었다. 집을 짓기 전에 읽은 책이었지만 집을 다 짓고 나서 다시 읽으니 새로웠다. 집을 짓기 전에는 눈에 들어오지 않았던 글귀가 보였다.

"주택에 입주하면 1년 정도는 보수 기간이라고 생각해야 한다. 살면서 고쳐간다고 마음을 먹어야 편안하다. 주택이 많은 미국 같은 경우 집마다 웬만한 인테리어 장비는 다 갖추고 있다. 주택을 고쳐가며 사는 게 일상이다."

'남과 다른 공간을 원했고 집을 지었다면, 아파트와 다른 일상에 적응하는 게 당연한 것 아닐까? 그리고 집에 발생한 하자가 삶의 질을 떨어트릴 정도로 중차대한 것도 아닌데, 천천히 고쳐가며 살면 되지 않을까?' 이렇게 마음을 다잡았다.

거실 전체는 스프레이 분사식 페인트로 마감해 오염에 약하다. 그래서 페인트를 간편한 통에 조금 덜고 작은 브러시를 상비해 두었다. 눈에 띄는 흠집이 발생하면 브러쉬로 페인트를 쓱싹쓱싹 칠해서 보수한다.

주택은 아파트보다 신경 쓸 것이 훨씬 많다. 하지만 사람의 손이 많이 가는 만큼 애정도 많이 생기고 그만큼 추억도 쌓인다. 새 차는 차주의 운전 스타일에 따라 몇 년이 지나면 다른 차가 된다. 부드럽게 잘 나가는 차가 될 수도 있고, 반대가 될 수도 있다. 집도 마찬가지다. 집주인이 어떻게 길들이냐에 따라 다른 느낌의 집이 될 수 있다. 애정을 담는 만큼 추억을 돌려주는 주택 살이의 매력을 많은 사람들이 함께 느껴봤으면 좋겠다.

#23

주택은 젊을 때 사는 게 좋다

첫여름을 지나던 어느 날, 친구들이 아이들을 데리고 놀러 왔다. 들어오는 입구에서부터 감탄사 연발이었다. 집을 마법처럼 변신시켜 주고 오픈하는 날 눈가리개를 풀면서 집을 공개하던 TV 프로그램 테마곡의 흥얼거림이 흘러나왔다. 집을 구경하는 친구들의 축하와 찬사 덕분에 그동안 집을 지으며 힘들었던 마음이 눈 녹듯 씻겼다. 음식을 준비해 서둘러 아이들부터 챙겨 먹였다. 아이들 배가 든든하게 채워져야 엄마들이 마음 편히 놀 수 있다. 옥상 그늘막 아래 설치한 수영장에서 아이들은 볼풀과 물총을 손에 쥐고 신나게 놀기 시작했다. 친구들이 음식을 정리하는 동안, 나는 근처 카페에서 커피를 사 왔다. 카페거리로 유명한 동네에 살면 이런 게 좋다. 저녁이면 커피콩 볶는 냄새가 솔솔 풍겨오고 언제든 내 입에 맞는 커피를 골라 마실 수 있다.

아이들은 물놀이에 푹 빠진 가운데, 친구들은 커피를 마시며 주택에서의 생활에 대한 궁금증을 풀어놓기 시작했다.

"집 짓는 데 얼마나 들었어? 얼마 대출한 거야?"

역시 가장 궁금한 부분은 비용이었다. 친구 넷 모두 주택에 살아보고 싶다고 했다.

"나도 마당 있는 주택에 살고 싶어. 한 번도 주택에 살아보지 않았거든. 그런데 주택에 살려면 부지런해야 하지 않아? 그래서 지금은 못하겠어. 나중에 나이 들면 살아봐야지."

"그래서 집 짓고 사니까 어떤 게 좋아? 아파트 살 때보다 정말 좋아?"

여러 가지 질문이 이어졌다.

"음, 몇 달 살아보니까 말이야. 일단 아파트보다 내가 관리해야 하는 면적이 훨씬 넓어졌어. 내가 사는 공간의 누적 면적이 아파트에 살 때보다 조금 넓어졌는데, 누적 면적에 들어가지 않는 공간이 많거든. 중정도 그렇고 3층에서 4층으로 올라가는 계단도 있고, 지금 아이들이 놀고 있는 옥상도 그렇잖아. 이 모든 공간을 내가 청소하고 신경 써야 해. 주차장과 1층 화단도 관리해야 하고. 아파트에서는 관리사무소가 맡아서 할 일을 여기서는 나와 남편이 다 해야 해. 쓰레기 처리도 불편해. 분리수거 가능한 쓰레기는 일주일을 모아 두었다가 정해진 요일에 내놓아야 해. 아파트에는 분리수거장이 있어서 언제든 내놓을 수 있지만 주택은 그럴 수가 없어. 커뮤니티 시설이 없는 것도 아쉽지. 헬스장도 멀고, 흔한 놀이터도 없잖아. 그래서 주택은 젊을 때 살아야 하는 것 같아."

내가 주택 살이의 장점을 이야기할 것이라고 기대했는지 친구들은 조금 의외의 이야기라는 반응이었다.

"그래서 젊을 때 사는 게 더 좋다고? 왜? 무슨 이유 때문에 그런거야?"

"아까 이야기했듯이 신경 쓸거리가 많잖아. 그래서 에너지 소모도 커. 그러니 나이가 들어서 보다는 젊을 때 살기에 적합한 주거 형태라는 거야."

"그럼 아파트에 사는 게 더 낫지 않아? 왜 젊을 때 주택에 살아보라고 말하는지 잘 모르겠어."

"그건 말이야…. 아이를 키우기에 주택이 좋아."

아파트에는 흔한 놀이터가 없지만 주택은 집 전체가 놀이터가 될 수 있다. 건축가들과 처음 만났던 날, 아이를 위해 미끄럼틀이 있는 집을 짓고 싶다고 했다. 설계 과정에서 많은 공간을 차지하는 미끄럼틀은 결국 포기했지만, 3층에서 4층으로 이어지는 계단실이 아이의 도서관이자 놀이 공간이다. 우리가 3.5층이라고 부르는 공간에 아이만 앉을 수 있는 벤치 수납장을 만들었고, 아이가 벤치 위에 서서 바깥 풍경을 바라볼 수 있도록 고정창을 넣었다. 3.5층 공간이 꽤 넓다. 벤치 수납장과 책상 하나가 들어가고도 성인 한 명이 넉넉하게 누울 수 있는 공간이 남는다. 가끔 아이가 파티를 했으면 하는 날이 있다. 그날은 우리 모두 좋아하는 음료와 주전부리를 챙겨 3.5층으로 올라간다. 블루투스 스피커에 음악을 틀고 음료를 마시며 춤을 춘다. 아이가 마음껏 쿵쿵 뛰어도 상관없다. 3.5층 아래는 우리 집 현관이니까.

이런 이야기를 하는 동안 한바탕 아이들의 물놀이가 끝났다. 간식을 좀 먹였더니 다시 에너지가 살아났는지 4층을 신나게 뛰어다녔다. 중정에 그늘이 졌다. 아이들을 모래놀이 데크가 있는 중정으로 내보냈다. 아이들이 즐겁게 놀아준 덕분에 친구들과 편하게 대화를 나눌 수 있었다.

친구들이 모두 돌아간 뒤 집 정리를 하다 보니 아까 말하지 못한 주택 살이의 장점이 더 생각났다. 집을 지어 산다는 것은 무엇보다도 특별함이 있다. 내가 원하는 대로 매일 사는 공간을 구상하고, 그것이 현실이 된 곳에 산다는 것은 상상 이상의 기쁨을 준다. 어렸을 때 상상했던, 하지만 현실이 될 수 없다고 생각한 공주의 방을 갖게 된 기분이다.

층고가 아주 높은 집에 살고 싶은 꿈이 있었다. 멋진 카페에 온 것처럼 거실 한쪽 면에 높다란 통유리창이 있는 집에 산다면 어떤 기분일지 궁금했다. 주말 아침 아이가 잠에서 깨면 집의 모든 커튼을 열고 환기를 시킨다. 아주 기다란 커튼을 열면 상쾌한 아침 하늘을 볼 수 있다. 하늘을 보며 모닝커피를 한

잔 마시면 온몸이 이완되고 편안해진다. 마치 우리 집 거실이 하늘을 품고 있는 것 같은 기분이다.

또 집 안에 도서관이 있으면 했다. 계단 한쪽 면을 책으로 채워 계단 어디에든 걸쳐 앉아 책을 읽을 수 있는 집에 살고 싶었다. 가끔 계단에 앉아 예전에 읽은 책을 다시 읽곤 한다. 시간 가는 줄 모르고 책을 읽다 보면 어릴 때 친구 집 다락에서 놀던 때가 생각이 난다. 그 친구 집에는 나무 계단이 있었다. 계단을 따라 2층으로 올라가면 친구 방이 위치했고, 그 방에 작은 다락이 있었다. 우리 집도 친구 집처럼 2층집이고, 집 안에 계단이 있으면 좋겠다고 생각했다. 그런 어릴 적 내 바람이 이제야 실현된 것이다. 꿈이 이루어졌다는 기쁨과 함께 어릴 적 추억이 떠오르며 입가에 미소가 지어진다.

남과 다른 공간에 산다는 것만으로 창의적인 사람이 된 것 같을 때가 있다. 아이디어가 떠오르지 않을 때는 거실 통창의 높은 커튼을 열고 하늘을 본다. 3.5층 고정창 너머 동네 풍경도 감상한다. 우리 집 작은 도서관 계단에 서서 책꽂이에 꽂혀 있는 책 제목을 살펴본다. 그리고 손이 가는 책 한 권을 뽑아 계단에 앉아 목차도 훑어본다. 그러다 보면 새로운 아이디어가 떠오른다. 일을 하다가 머리가 잘 돌아가지 않을 때 그 자리를 털고 다른 곳으로 가면 막혔던 생각이 뚫릴 때가 있다. 공간이 변하면 생각이 바뀐다. 그 어디에서도 볼 수 없는 우리 집, 집 전체가 놀이터인 특별한 공간에 사는 아이들의 상상력은 무한대로 성장할 것이다.

주택은 아파트보다 관리 면적이 넓고, 쓰레기 처리가 불편하다. 커뮤니티 시설이 없고, 관리 사무소도 없기 때문에 집에 발생하는 문제를 모두 직접 처리해야 한다. 하지만 단점을 상쇄하고도 남을 특별함이 있다. 그래서 주택은 관리할 에너지가 있는 젊은 나이에 살아봐야 한다. 나이가 들면 오히려 도심 아파트에 사는 게 더 낫다고 생각한다. 은퇴하면 잔디가 깔린 전원주택에 살고 싶다는 생각을 한 번쯤 해보았는가? 그렇다면 지금이 집을 짓기 위해 용기를 내야 할 타이밍이다.

 * 139~143쪽 내용과 이어집니다.

"임대가 잘되는 집은 뭐가 다를까?"

• 구옥 임대 노하우로 커튼, 조명, 그림, 식물을 추가로 구비한다.

임대가 잘 나가는 집이 되려면 기본적인 인테리어가 필요하다. 여기서 기본이란 도배, 장판, 싱크대, 욕실을 말한다. 신축 원룸이 많기 때문에 적어도 이 정도는 새것이어야 세입자가 들어올 맛이 난다. 나는 이런 기본에 몇 가지를 추가한다. 물론 돈이 조금 더 소요되지만 세입자를 빨리 구하면 은행 대출 이자를 절약할 수 있다. 또 집이 마음에 들면 더 오래 살고자 하기 때문에 부동산 중개비 등도 아낄 수 있다.

01 화이트톤의 깔끔한 시폰 커튼을 달아라

창문에 커튼 부착 여부가 집 분위기를 크게 좌우한다. 온라인으로 저렴하면서도 하늘하늘 주름이 잡히는 커튼을 사서 설치한다.

02 포인트 조명을 설치해라

사진 속 공간은 다른 임대 세대에 비해 구조가 좋지 않아 조명으로 더 포인트를 주어 분위기를 내고자 했다. 천장에 ㄷ자로 레일을 달고 볼 조명과 펜던트 조명을 설치했다.

03 생명력 느껴지는 화분을 둬라

집마다 작은 크기라도 화분을 하나씩 둔다. 실내에 식물이 있으면 집이 훨씬 생기 있어 보인다. 나중에 세입자가 입주하면 웰컴 선물로 드린다.

04 그림이나 액자를 부착한다

멋진 명화를 활용한다. 주로 마티스 그림을 샀다. 마스킹 테이프를 손으로 떼 벽에 붙이면 멋진 분위기가 완성된다.

05 빌트인 세탁기를 구비하라

집마다 싱크대 하부장에 빌트인 세탁기를 넣어 사용자의 편의성을 높였다.

이 집은 전 세대 임대를 염두에 두고 리모델링했지만, 편의상 101호를 주인 세대라고 가정해 본다. 디자인 출입문을 1층 주인 세대 입구와 2층으로 향하는 계단 초입에 세웠다. 출입구를 구분해 동선이 겹치지 않도록 하면서도 주인 세대 출입문만 멋지게 꾸며 세입자가 위축감이 들지 않도록 배려한 것이다. 또 외관부터 정말 '살아보고 싶다'는 느낌이 들도록 세련되게 꾸몄다. 골드바를 리모델링 전 대문이 있던 자리에 부착했고, 골드 스테인리스 입간판에 건물명과 주소를 넣었다. 각 호수 표지판에 건물명을 넣어 브랜드화된 주택에 살고 있다는 느낌이 들게끔 했다.

• 구옥 임대 노하우로 시선을 끄는 외관에 브랜드화된 주택에 산다는 느낌을 주는 호수 표시판 등 시각적 이미지를 높이는 것이 중요하다.

옛날 주택이라 호마다 다락이 있었다. 요즘 레트로가 대세라 그 다락 공간을 그대로 살렸다. 조그만 창에 레이스 커튼을 달고 작은 조명으로 빈티지한 분위기를 만들었다. 그리고는 사진을 찍어 직거래로 세입자를 구하는 사이트에 올렸다. 입주자 모집 포스터도 함께 첨부했다. 포스터는 현수막으로 만들어 상가 유리에 부착했다. 그 결과, 2층 세입자를 이틀 만에 구하고, 일주일 후 1층 임대계약도 마쳤다.

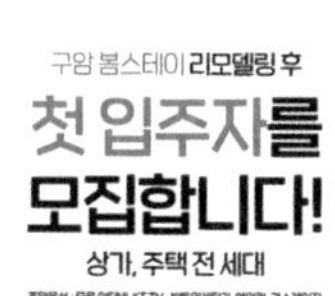

PART 4

집을 지으면서 시간, 공간, 만나는 사람 모두가 바뀌는 생활을 경험한 부부는 내면적인 성장을 실감한다. 나아가 살기 좋은 동네를 만들기 위해 변화의 중심에 서기도 한다. 그들의 삶과 가치관이 오롯이 담긴 집이 그 베이스캠프이다.

아이도 자라고 나도 자라는 집

#24

전략적 접근으로 건축상 받기

설계 소장님과 첫 만남을 가졌던 날, 마음속에 품고 있는 원대하고도 도발적인 계획을 밝혔다.

"건축상을 받을 수 있는 집을 짓고 싶어요. 잡지에 나오고도 싶고요."

원래는 '튼튼하고 편리하고 단열 · 방수가 잘되는 집'이라고 말했어야 했는데, 그건 기본이라고 생각했다. 서울에서 활동하는 실력 있는 설계사무소에 집을 맡겼으니 기본 이상을 바랐던 것이다.

내 집을 짓기로 결심하기 전부터 단독주택이나 상가주택에 관심이 많았다. 주말이면 김해, 부산, 양산 등 가까운 지역에 예쁘다고 소문난 집을 찾아가기도 했다. 뭔가 남다르다 싶은 집 출입구에는 어김없이 '상패'가 붙어 있었다.

"나중에 우리도 이런 건축상 받는 집 짓자."

상을 받을 정도의 집이라면 당연히 좋은 집일 것이라며 봄이 아빠는 각오를 다졌다.

"봄이 아빠, 좋은 집은 어떤 집일까?"

"글쎄다. 내가 그런 집 만들어볼게."

집을 짓고 주택 살이를 하며 '내게 집이란 어떤 곳인지, 좋은 집은 어떤 집인지' 생각해 보았다.

내게 집이란 에너지를 충전하는 곳, 휴식하는 곳, 가족 간 사랑을 주고받는 곳, 온전한 나 자신이 될 수 있는 곳이다. 쉬고 에너지를 충전하려면 쾌적하고 아늑하고 편리해야 한다. 가족 간 사랑을 주고받으려면 각자의 공간에서 충분히 쉴 수 있어야 한다. 그래야 에너지를 채워 사랑을 줄 수 있기 때문이다. 또 온전히 내게 집중할 수 있는 공간이 필요했다. 집을 설계하며 두 소장님께 '집의 의미'를 생각해 볼 많은 질문을 받았다. 설계부터 탄탄한 집은 건축주의 삶을 담게 된다.

그럼 어떤 집이 좋은 집일까? 나는 지금 좋은 집에 살고 있을까?

좋은 집은 기본에 충실하면서 사는 사람의 삶까지 담아 지은 집이라고 정의하고 싶다. 기본은 튼튼한 골조, 방수와 단열이다. 생각보다 기본에 충실하지 않은 집이 꽤 있다. 어느 유명 배우의 단독주택에 물이 새면서 심란해하는 모습이 매스컴을 타기도 했다. 단열이 잘 되려면 단열 시공을 제대로 해야 한다. 시공자는 설계자가 제시하는 단열 등급의 단열재를 사용하고, 단열 시공 표시가 있는 곳 모두를 작업해야 한다. 하지만 단열재는 마감 작업을 하면 보이지 않기 때문에 제대로 시공했는지 알 수가 없다. 그래서 골조, 방수, 단열을 '제대로' 시공한 기본에 충실한 집이 가치 있다고 생각한다. 기본에 충실하며 미관까지 예쁜 집이라면 어떤가?

우리 집은 나의 취향이 100% 담겼으며 기본에 충실하게 지었다. 집의 기능뿐만 아니라 아름다운 외관, 감각적인 내부 인테리어까지 삼박자를 모두 갖췄다. 삼박자를 잘 갖추게 된 이유는 처음부터 '전략적으로 접근했기 때문'이다.

입주 후 첫여름을 보내고 있었다.

"잘 지내시죠. 잡지 <전원속의 내집>에서 봄스테이를 촬영했으면 하던데요."

이 소장님의 전화였다.

'꺄~~! 드디어 올 것이 왔구나.'

촬영 일정이 잡혔다. 잡지에 우리 집이 예쁘게 나왔으면 싶었다. 집을 둘러보니 데크만 시공해둔 중정이 거슬렸다.

"여기가 우리 집 핵심 포인트 중 하나인데, 중정을 꾸미다가 멈춘 느낌이야. 좀 꾸며야 해. 이 상태는 아닌 것 같아."

"고민을 좀 해볼게."

역시 봄이 아빠가 뭔가 생각해 둔 게 있는 모양이었다.

다음 날 동네 꽃집 사장님을 집으로 초대했다. 사장님은 매의

눈으로 중정을 살펴보시더니 순식간에 해결책을 제시했다.

"바닥에 자갈을 좀 깔아야겠어요. 자갈 중간에 큰 디딤돌 몇 개 놓고요. 저기 화분에 좀 싱그러운 큰 나무를 심으면 멋지겠어요."

촬영 3일 전이었다. 사장님이 거래처에 급히 주문을 넣었다. 휴가철이라 주문한 당일 필요한 자재를 받을 수 없었다. 촬영 전날, 새벽에 꽃집 사장님과 봄이 아빠가 함께 자재 시장에 갔다. 주문한 오죽과 자갈 30포를 직접 받아 차에 실어왔다. 폭염 속 봄이 아빠 혼자 자갈을 들고 3층 중정까지 날랐다. 집 공사할 때 남은 계단석이 있었다. 창고에 있던 계단석도 중정으로 가져왔다. 자갈을 깔고 디딤돌을 놓은 것만으로도 중정 분위기가 확 살아났다. 마지막으로 화분에 오죽을 심었더니 잡지에 나오는 그런 중정이 완성되었다.

촬영 날 오전까지 벼락치기로 시험공부를 하는 아이처럼 정신없이 집 청소를 했다.

• 잡지 사진 촬영 중

• 촬영에 적극적으로 협조하는 봄이의 다양한 포즈를 합성한 사진 / ©전원속의 내집

초인종이 울렸다.

"더운데 먼 길 오느라 고생하셨죠. 반갑습니다."

기자 한 분과 사진작가 한 분이 오셨다. 집 여기저기를 소개해 드리며 촬영이 진행되었다. 촬영 중간중간 인터뷰도 이어졌다. 어떻게 이런 공간을 만들게 되었는지, 이렇게 지어 살아보니 어떤지 같은 질문이었다. 야간 촬영까지 마치고 두 분을 공항까지 바래다 드렸다.

"골목 초입부터 존재감이 넘쳤어요. 환한 집이 한눈에 들어왔어요. 동네를 밝히는 집이라는 생각이 들었습니다. 또 동네가 참 아늑하고 따뜻한 분위기라 좋았어요."

내가 사는 집과 우리 동네를 좋게 평가해 주시니 공간에 대한 애정이 더 커졌다. 자존감까지 쑥 올라가는 기분이었다. 낯선 분께 집을 소개하며 내가 사는 공간의 의미를 다시 한번 생각해 보는 계기가 되었다. 기분 좋은 추억이 또 한 장 만들어진 날이었다.

가을이 되었다. 봄이 아빠가 공오스튜디오 소장님과 통화를 하고 있었다.

"무슨 일 있어?"

"경남 건축대상제 접수 공문이 나왔더라고. 그거 준비하자고 얘기했어."

잡지에 나오고 싶다는 바람은 이뤘다. 다음은 건축상이었다. 경남 건축대상제와 함께 김해 건축대상제 모두 지원했다. 상을 받게 되면 우리에게 주어지는 건 건물 외벽에 붙일 '상패' 뿐이었다. 그렇지만 우리는 그 상패를 열렬히 원했다. 그동안 흘린 피, 땀, 눈물을 인정받을 시간이 온 것이다. 두근거렸다. 좋은 결과가 예상되었다.

"경남 건축대상제 은상입니다. 아직 보도자료 나가지 않았으니 공개하시면 안 되고요."

주최 측으로부터 연락이 왔다. 공오스튜디오 두 소장님도 기뻐했다.

'경남에서 은상 받으면 김해에서는 상을 받을 수 없는 걸까?'

김해에서는 연락이 없었다.

어느 날 봄이 아빠가 시청 민원실에 방문할 일이 있었다. 시청에 다녀온 봄이 아빠가 상기된 목소리로 말했다.

"시청 갔다가 깜짝 놀랐어. 우리 집 사진이 시청 민원실 입구에 있는 거야. 그리고 대상이라고 붙어 있었어. 우리 김해 건축대상이래."

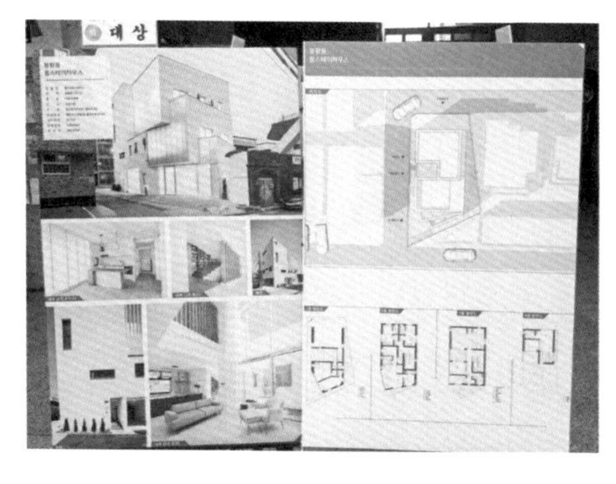

• 김해 시청 민원실 복도에 전시 중인 2019 김해 건축대상제 작품

2019 경남 건축대상제 은상에 이어 2019 김해 건축대상제 대상을 수상하였다. 능력 있는 공오스튜디오 두 소장님의 실력이 공인받은 것 같아 기뻤다. 특히 고생한 봄이 아빠의 노고 역시 인정받은 듯하여 더욱 벅찼다.

• 건물 외벽에 붙은 상패 두 개

건물 외벽에 상패 두 개가 나란히 붙었다. 기능적 가치와 미적 가치를 경상남도와 김해시 모두에게 인정받은 집에 산다는 건 정말 짜릿한 일이다. 우리 공간의 가치를 공식적으로 인정받았다. 내가 사는 공간의 가치가 올라가는 만큼 그곳에 사는 나와 가족의 자존감도 올라갔다. 처음부터 계획을 세우고 전략적으로 준비한 노력이 주택 살이의 만족도를 더 높여 주었다.

#25

집은 자아실현의 도구가 될 수 있다

"집을 이렇게 멋지게 지었으니, 우리 이 집에서 가치를 창출하자."

집을 짓기로 계획했을 때부터 상가주택의 수익률을 따르기보다 우리가 바라는 삶을 담은 집, 가치 있는 집을 짓자고 의기투합했다. 가치를 따랐더니 예상보다 돈이 많이 들긴 했다. 그래서 집으로 부가가치를 만들자는 봄이 아빠 의견에 동의했다.

"이 집으로 어떤 부가가치를 만들 수 있을까?"

유명 건축 잡지에 실려 공간을 알리고, 건축상을 받아 가치를 인정받겠다는 희망은 이미 실현했다. 그 외의 방법을 생각나는 대로 이야기하고 거기서 의미 있는 방안만 걸러냈다. 공간 대여 플랫폼에 집을 대여하는 것, 상가를 봄이 아빠와 다른 사업체가 날짜나 시간대를 분리해 사용하는 것, 상가나 우리 집 거실을 살롱 문화 공간으로 만들어 각종 모임을 진행하는 것, 방송 출연으로 집을 지어 사는 것의 가치를 알리는 것, 이 모든 경험을 책에 담아 전하는 것 등이었다.

먼저 공간 대여 플랫폼에 등록했다. 시간당 대여료를 내가 직접 정해 우리 집을 소개하는 글과 함께 등록했다. 나도 이제 호스트가 된 것이다. 서울과 경기 지역에서는 공간 대여가 활발한 것 같았다. 스마트한 사업주들이 상품 판매용 영상을 찍기 위해 집을 대여하기도 하고, 유명인이 유튜브 촬영을 위해 해당 플랫폼의 게스트가 되기도 했다.

'지방에도 이런 수요가 있을까? 서울 경기 지역에도 예쁜 집이 많은데 굳이 지방까지 촬영하러 올까?'

지방까지 오는 교통비를 고려해 시간당 대여료를 정했다. 한동안 소식이 없었다. 역시 지방은 아직 수요가 적구나 싶었다. 잊고 지내던 어느 날 공간대여 플랫폼에서 연락이 왔다.

'○○○님께서 ○월 ○일 10시~19시까지 공간 대여를 요청합니다.'

살펴보니 해양 직업 관련 진로 교육 영상 촬영을 하려는 것이었다. 운명 컨설턴트 이서윤 작가의 책 <오래된 비밀>에는 '새로운 경험을 해야 새로운 일이 일어난다. 변화는 행운의 시작이다'라는 문구가 있다. 우리는 행운의 시작을 기꺼이 받아들였다.

진로 교육 영상이라 중학생인 배우가 출연했다. 우리 집에 방문한 무명의 아역 배우가 나중에 얼마나 유명해질지 모를 일이다.

"배우님, 사인 하나 부탁드려요."

아역 배우는 부끄러운 듯 머뭇거렸다. 혹시 아직 사인이 없어서 당황한 것인가 생각했다. 이내 곧 사인을 쓱쓱 하더니 귀여운 리본까지 그렸다. 준비해 둔 사인이 있었다.

"나중에 유명해질 거니까 사인 바꾸시면 안 돼요. 저희가 1호 사인 받은 거예요."

• 공간 대여를 통해 진로 교육 영상을 촬영하는 모습

우리 집에 방문한 1호 배우님이 성공적으로 촬영을 마치고 갔다. 게스트가 별 다섯 개와 다음에도 다시 이용하고 싶다는 내용의 후기를 남겨 주었다. 덕분에 한 달 동안 두 차례 더 공간 대여 요청이 들어왔으나, 코로나19 확산세로 대여 요청을 수락하지 못했다. 기분 좋은 부수입과 새로운 경험을 안겨 준

공간 대여를 앞으로 꾸준히 해 볼 생각이다.

1층 상가는 봄이 아빠의 사업을 위해 필요했다. 집을 짓는 동안 봄이 아빠는 무자본으로 사업을 시작했다. 일단 부딪치며 사업 방향을 계속 모색했다.

"고민해 보니 앞으로 내 사업장이 꼭 필요할 것 같지 않아. 있으면 좋긴 하지만 없다고 사업을 할 수 없는 건 아닌 것 같아. 앞으로 트렌드도 그렇잖아. 온라인으로 안 되는 게 없는 세상인데, 꼭 사업장이 있어야 할 수 있는 사업이라면 사업 방향을 잘못 잡은 것이라는 생각이 들어."

"그럼 상가 전체를 월세로 내줄 거야?"

"나도 아직 정확히 방향을 잡지는 못했어. 내가 고객을 만날 장소가 있으면 좋긴 한데. 그래서 말인데, 한동안 공유 오피스로 사용해 보고 싶어. 나처럼 일주일에 한 번이든, 매일 특정 시간이든 온종일 사업장이 필요한 건 아니니까 다른 사업체와 한 공간을 함께 써보면 어떨까."

"공유 오피스가 대세라고는 하지만, 지방 소규모 공유 공간은 성공하기 어렵다고 하던데."

쉬운 길이 아닐 듯이 보였다. 원룸에서 나오는 월세로 대출 이자를 감당할 수 있으니 당장 안정적인 월세 수입이 발생하지 않더라도 '똥인지 된장인지' 일단 경험해보고 싶었다.

"그래 좋아. 해보자. 해보고 아니면 그만하면 되지."

그때 봄이 아빠를 포함해 세 곳의 사업체가 함께 시작했다.

중간에 한 사업체는 사정이 생겨 오프라인 숍을 정리했다. 다른 한 업체는 봄이 아빠의 고객 상담, 갤러리 운영과 함께하며 1년을 보냈다. 그리고 사업이 성장해 단독숍을 차리게 되었다. 우리와 함께 인연을 맺은 분이 잘 돼서 나가니 기뻤다. 그리고 지금은 또 다른 사업체가 공간을 함께 쓰고 있다. 머뭇거리지 않고 새로운 것을 시도하며 경험을 쌓고 성장한 시간이었다.

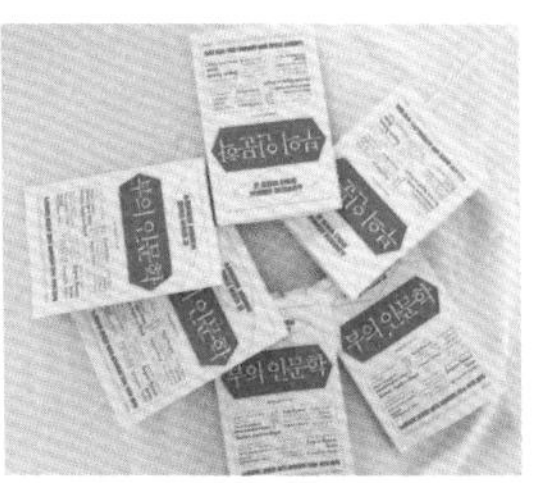

• 독서모임

"인생을 바꾸려면 시간, 공간, 만나는 사람을 바꿔라"라는 일본 경제학자 오마에 겐이치의 말에 깊이 공감했다. 책을 읽는 사람을 만나고 싶었다. 그것도 게으름을 피우기 좋은 일요일 아침 일찍 만나고 싶었다. 하지만 주말 새벽에 하는 독서 모임을 찾을 수가 없었다.

'그래 좋아. 없으면 내가 만들면 되지.'

독서 모임의 리더가 되어 회원을 모집했다. 처음에는 회원이 적어 봄이 아빠부터 영입했다. 점차 회원이 늘어 우리가 가진 의자와 테이블을 총동원해야 했다. 늦잠 자고 싶은 일요일 아침 7시에 모여 사색하고 생각을 나누는 경험은 기대 이상이었다. 독서 모임이 있는 주말은 숙제가 남아 있는 것 같은 약간의 중압감이 있었다. 그 숙제를 마치면 일요일 아침 9시였다. 일요일 아침 9시면 누군가는 이제 침대에서 나오는 시간일 것이다. 매월 한 번씩 1층 상가에서 가진 독서 모임은 나를 성장시킨 기분 좋은 스트레스였다. 올해는 시에서 주최하는 독서 동아리 지원 사업에 지원할 작정이고, 작가와의 만남도 기획하고 있다.

'잔디가 깔린 우리 집 마당에서 주기적으로 독서 모임을 한다면?'

'꽃과 정원을 가꾸는 것을 좋아하는 사람들과 함께 마당에서 모임을 한다면?'

'주방을 근사하게 만들어 요리를 좋아하는 사람들과 모임을 한다면?'

'내 집을 예쁘게 꾸미고, 나만의 인테리어 팁을 알려주는 전문가가 된다면?'

'다양한 높낮이가 존재하는 집에서 창의력이 샘솟아 작품 활동에 영감을 줄 수 있다면?'

요즘 소규모 모임으로 쏠쏠하게 수입을 창출하고, 이를 바탕으로 제2의 직업을 찾는 사람들이 많다. 코로나 상황 때문에 비대면으로 전환된 경우가 많지만, 수요가 갈수록 개별화

되고 있는 시대에 '내가 좋아하는 일을 누군가와 공유하고 그 활동으로 적지만 뿌듯한 수입을 만들고 자아를 실현하려는 사람'이 점점 늘어갈 것이다. 내 집이 그런 공간이 될 수 있다. 소음 발생에 민감한 아파트보다는 주택이 더 적합하다.

이 책을 한참 집필하던 중 모 TV 프로그램 작가님께 출연 섭외 연락을 받았다. 작가님 두 분이 직접 오셔서 사전 인터뷰를 진행했다. 조만간 촬영을 하게 될 듯하다. 집을 짓고 성장하고 자아를 실현한 이야기를 많은 사람에게 전하고 싶다. 좋은 건 함께 하면 더 좋다.

#26

살기 좋은 동네를 위한 작은 노력들

만약 지금 이 글을 읽는 독자가 집을 짓겠다고 결심한다면 가장 먼저 해야 할 일은 무엇일까?

땅을 사야 한다. 택지 개발 지구, 변두리 전원주택 부지, 기존 주택 단지 등 여러 선택지가 있을 것이다. 우리는 기존 주택 단지를 선택했다. 낙후된 구도심의 주택 밀집 지역이다. 구옥을 예쁘게 리모델링한 상가가 계속 생겨나고 있었지만, 주거지로서는 아직 옛날 모습 그대로였다. 집주인이 집을 세주고 다른 동네로 이사 간 경우가 많았다. 아무래도 주인이 사는 집과 세입자가 사는 집은 관리 정도가 달랐다. 세입자층에는 젊은 사람들이 꽤 있지만, 동네에 거주 중인 주인층의 연령대가 높았다. 그래서 자신이 사는 집이나 주위 환경 개선에 대한 관심이나 의지가 부족해 보였다. 확실히 아파트에 살 때보다 집

밖 환경이 열악했다.

"우리 집으로 인해 젊은 사람들이 이 동네로 많이 이사 오면 좋겠어. 오래된 집들이 멋지게 리모델링돼서 택지 개발 지구의 주택과는 또 다른 매력이 있는 동네가 되면 좋겠어. 젊은 사람들이 이사 와야 봄이 또래 친구들도 많아질 텐데. 어떻게 해야 사람들이 우리 동네에 와보고 살고 싶다는 생각이 들까?"

"볼거리가 있어야 해. 그래야 한 번 들린 사람들이 좀 더 머물게 되고 다음에 또 찾아오게 되고. 오고 가는 사람이 많아지면 1층에 상가를 운영하면서 2층에 거주하는 사람이 늘어날 거야."

"저기 ○○식당 건물 옥상에서 문화 · 예술 공연을 주기적으로 하는 거 알아? 그거 다 사장님이 노력해서 사람들 섭외해서 공연하는 거래. 볼거리가 있어야 사람들이 모여들잖아."

"아! 저번에 서울 종로구 서촌 한옥마을, 익선동에 갔던 게 생각이 나. 고풍스러운 동네와 예술 작품이 잘 어울렸는데 우리 동네도 그런 느낌이 있어. 금관가야 역사 유적지, 오래된 동네, 레트로풍의 상점들…."

우리 동네가 문화, 예술의 거리가 되었으면 하는 바람이 생겼다. 문화 · 예술의 중심에 우리 집이 놓이기를 희망했다. 나비의 작은 날갯짓이 먼 곳에 소용돌이를 일으키듯 우리의 작은 시작이 동네 전체에 영향을 줄 수 있으리라 생각했다. 예술과는 거리가 먼 공대 출신인 봄이 아빠가 갤러리 관장이 되었다. 갤러리를 어떻게 운영해야 할지 몰라 몇 군데를 직접 찾아

다니며 조언을 구하기도 했다. 잘 안 될 것이라는 부정적인 이야기도 들었다. 집을 지으며 우리 부부에게 생긴 삶의 철칙은 '안 된다'고 말하지 않는 것이다. 안 된다는 말은 한 귀로 듣고 한 귀로 흘렸다. 우리 돈을 들여 초대전을 시작했다. 다른 갤러리가 하는 대로 따라 하는 것이 아니라, 우리 갤러리만의 방식을 만들어 가기로 했다. 길이 없는 숲에 오솔길을 만들어나갔다.

예술은 특별한 것이 아니라 일상이 되어야 한다. 이는 봄이 아빠가 북유럽 여행을 통해 나름 얻게 된 깨달음이다. 예술을 쉽게 접할 수 있도록 우리는 작가와 방문객 사이를 연결해 주는 소통의 창구가 되기로 결심했다. 전시 전 작가님과 인터뷰를 진행했다. 작품 구상의 배경, 작품 관람 포인트 등이 무엇인지 들으며 영상 촬영을 했다. 그 영상을 유튜브에 올렸다. 작품에 대한 해석을 이야기 형식으로 만들어 작품 옆에 붙였다. 블로그에 전시를 소개하는 포스팅을 하고, 그 내용이 네이버 '우리 동네'에 실리도록 했다. 신문사에 보도자료를 보내 전시를 알리기도 했다. 하지만 코로나 때문에 전시를 관람하는 일이 쉽지 않았고, 전시를 요청했던 몇몇 작가의 전시가 미뤄지다가 결국 취소되기도 했다. 그런 악조건 속에서도 2020년 7차례 전시를 진행했다. 경남에서 손꼽히는 지역신문에 보도되기도 하였고, 작품도 몇 개 판매가 되었다. 햇살이 가득 들어오는 아담하고 따뜻한 공간을 좋아해 주시는 분들이 많아졌다.

•신부식 작가 <가족, 혼자이며 함께 걷는 길>

•전영철 작가 <정 중 동>

•최례 작가 <노니는 마음>

•신부식 <어린 왕자가 은빛 지팡이를 잡고 있는 이유>

작품과 함께 하는 독서 모임도 신선했다. 소설 <어린왕자>로 독서 모임을 앞두고 있을 때 신부식 작가의 '어린 왕자가 은빛 지팡이를 잡고 있는 이유'라는 작품이 갤러리에 들어왔다. <어린 왕자>라는 책만으로도 이야기를 나눌 거리가 많았다. 거기에 작품이 더해지니 대화가 더 풍부해졌다.

"은빛이 어떤 의미를 지니고 있을까요?"

“왜 금빛도 아닌 은빛일까요?”

이런저런 방향에서 작품을 해석해 보았다. 독서와 예술 작품의 결합은 상상 이상이었다. 그때 느낀 영감이 오래도록 남았다. 독서 모임에 참여한 분, 갤러리에 전시한 작가 중에 우리 동네에 큰 관심을 가진 분이 생겼다. 자신도 이 동네에 집을 지어 살고 싶다는 것이었다. ‘이런 게 선한 영향력인가보다’하고 생각했다. 좋은 뜻으로 시작한 일이 주위 사람들을 조금씩 물들이고 있는 것 같았다.

“우리 동네를 알릴 수 있는 좋은 공모 사업이 떴어. 장유가도 콘텐츠 크루를 모집한대.”

장유가도는 우리 동네의 역사가 담긴 명칭이다. 금관가야의 1대 왕인 김수로왕이 인도 아유타국에서 온 것으로 알려진 허황옥을 만나 장유에 있는 ‘장유사’로 신혼여행을 떠난 길이 우리 동네에 있다. ‘장유사로 가는 길’이라는 의미로, 예로부터 그렇게 부른 것이다. 이런 장유가도를 널리 알리고 지속해서 사람들이 모일 수 있는 콘텐츠를 개발하는 사업이었다. 봄이 아빠는 우리 갤러리 이름으로 공모 사업에 신청서를 제출했다. 얼마 뒤 콘텐츠 크루로 선정되었다는 연락을 받았다.

“장유가도라는 브랜드를 만들자. 거기에 브랜드 스토리를 입히고. 동네 공방이나 우리 갤러리에 전시한 작가와 협업해 장유가도 브랜드가 담긴 굿즈를 만드는 거야.”

봄이 아빠가 기획, 총괄을 담당하고 나는 스토리를 담당했다. 그래픽 디자이너인 새언니가 장유가도 브랜드 로고를 제작했다. 나는 '수로왕과 허황옥이 만난 기원후 48년에서 약 2000년이 지난 2020년에도 여전히 장유가도는 사랑이 이루어지는 길'이라는 콘셉트로 브랜드 스토리를 풀어냈다. 우리 동네는 김해에서 데이트하는 커플들의 성지라고 알려져 있다. 그래서 '여기서 데이트한 커플은 사랑이 이루어진다'는 의미를 담고 싶었다. 봄이 아빠는 장유가도 브랜드와 스토리를 담아 굿즈 개발에 나섰다. 동네 공방과 상생을 목적으로 몇 군데 공방과 협업하기로 했다. 우리의 의도를 담아 공방에서 제품을 제작하면 거기에 장유가도 로고를 넣어 완성했다. 장유가도에 오는 사람들이 체험을 할 수 있는 상품도 개발했다. 우리 갤러리에서 두 차례 전시회를 열었던 작가님께 작품 개발을 의뢰했다. 6~7월이면 동네에서 많이 볼 수 있는 능소화를 담은 머그잔, 커플이 직접 체험해 가져갈 수 있는 커플 마그네틱 등이다.

• 장유가도 능소화 머그잔과 장유가도 브랜드 로고

봄이가 살기 좋은 동네가 되었으면 하는 작은 소망에서 비롯되었다. 그렇게 시작한 일이 굿즈 개발까지 이르게 되었다.

'이제 동네에 사람들이 많이 오게 되었나요? 이사 온 젊은 분들이 좀 계신가요?'

누군가가 이렇게 묻는다면 아직 당당하게 '네!'라고 대답할 수 있는 부분은 없다. 눈에 보이는 성과도 있지만 그렇지 않은 것도 아직은 많다. 느리지만 조금씩 동네에 변화의 물결이 느껴진다. 2020년 동네에 새로운 전시 공간이 생겼다. 도시재생 사업 일환으로 김해시에서 우리 동네에 큰 연극 공연장을 조성하고 있다. 문화·예술 동네가 되었으면 한 우리 바람이 조금씩 현실이 되는 것 같다. 한 사람의 반짝이는 아이디어가 세상을 변화시킬 수 있다. 우리의 작은 노력이 쌓이면 살기 좋은 동네가 될 것이다. 먼 훗날 봄이가 어린 시절을 떠올렸을 때 '참 따뜻한 동네에, 아빠가 지은 멋진 집에 살았다'는 좋은 기억으로 남길 바란다.

#27

정을 나누는 이웃이 있다는 것

새해 첫날 아침 우편함에서 하얀색 종이가 보였다.

'또 무슨 고지서일까?'

종이를 쓱 꺼냈는데 아기자기하고 빼곡하게 적힌 글씨가 보였다. 우리 집으로 누가 손편지를 보낸 것일까.

"봄아, 양띠 친구에게 편지 왔어."

"응 엄마? 진짜야?"

봄이의 띠동갑 친구, 나의 동갑내기 친구, 봄이 아빠의 사업 친구인 동네 부부가 새해 아침부터 기쁨을 전해 주었다.

우리가 이 집에 입주한 2019년 말이었다. 봄이 아빠에게 낯선 번호로 전화가 왔다. 우리 동네에 구옥을 사서 리모델링을 하려는 분이셨다. HUG 도시 재생 지원 사업에서 대출을 받아 지은 집이 우리라는 것을 알고 프로젝트 계획서를 어떻게 작성했는지, 사업비 대출 진행 과정이 어땠는지 자문을 구했다. 얼마 후 동네 산책을 하다가 골목 안쪽에 위치한 구옥이 심상치 않게 변화 중인 것을 보았다. 봄이 아빠와 나의 소소한 취미 중 하나가 동네 산책을 하며 변신 중인 구옥을 발견하고 반가워하는 일이다. 오래된 집이 멋스럽게 변신해 카페가, 레스토랑이, 소품샵이 되어 외부 사람들의 발길을 끌어당기는 것을 보면 마치 내 일인 것처럼 기뻤다. 동네가 더 좋아지면 우리가 사는 환경이 좋아지는 것이기 때문이다.

"와, 이 집 뭔가 심상치 않은데! 일반 주택은 아닌 것 같아. 어떤 용도로 리모델링 중인 것일까?"

"아, 여기인가 봐. 저번에 도시 재생 사업으로 대출받아서 집 짓는 것 때문에 전화 온 분 있었잖아. 그때 산 집 위치를 대충 들었는데, 1층에 가죽 공방을 하고 2층은 가족이 산다고 그랬던 것 같어."

인스타그램 DM으로 연락을 주고받다가 전화 통화를 했기 때문에 인스타그램 주소를 알고 있었다. 그렇게 '나르준 크래프트'를 팔로우하게 되었다. 얼마 후 리모델링 공사를 마친 공방이 오픈했다. 셀프 생일 선물로 가죽 지갑과 북 커버를 주문하며 나르준 크래프트 공방 사장님 부부를 만났다. 우리 부부와 연령대가 비슷해 좋은 이웃이 될 것 같은 느낌이 들었다. 다른 지역에서 사업과 주거를 위해 이 동네로 이사 왔다는 점에서 자석처럼 끌렸다. 산책하며 참새가 방앗간에 들리듯 나르준 크래프트를 드나들던 어느 날, 우리 집으로 그들을 초대했다. 처음으로 동네 이웃을 집으로 초대한 날이었다.

두 손 가득 맥주를 사서 온 이웃집 부부와 시간 가는 줄 모르고 술잔을 기울였다. 남자 사장님과 봄이는 양띠라는 공통점으로 친해졌다.

"너도 양띠야? 우리 친구네. 친하게 지내자, 친구야."

이 말에 봄이가 신났다. 어른과 친구가 된다는 게 몹시 설렌 모양이었다. 자신이 어른과 통할 수 있다는 생각이 들어 왠지 모를 뿌듯함도 느끼는 것 같았다. 사업 이야기와 시시콜콜한 사연까지 나누며 서로가 공감했다. 연령대 높은 어르신들이 가득한 동네에서 마음이 통하는 비슷한 연령대의 이웃을 만나게 될 줄은 몰랐다. 이웃 부부는 바로 옆집인 '카페 봉황동'에서 산 호두 간식도 선물로 주었다. 온라인으로 세상이 하나가 되면서도 집 근처에서 슬리퍼를 신고 쇼핑할 수 있는 '슬세권'의 트렌드가 느껴졌다. 동네 가죽 공방에서 생일 선물을 사고, 집 옆 카페에서 집들이 선물을 구매해서 이웃집에 방문하는 소소한 즐거움을 느낄 수 있는 동네가 되었다. 철저히 디지털화 된 세상에서 아날로그 감성을 느낄 수 있는 게 주택 살이의 매력이다. 이후 지역 도시 재생 사업으로 진행한 동네 문화 행사에 봄스테이와 나르준 크래프트가 주체가 되어 협업할 일이 잦았다. 그 댁에도 정식으로 초대를 받았으나, 코로나 상황이 악화되면서 다음을 기약하다가 연말이 되고 말았다. 만나지 못한 아쉬움을 글에 담아 우리 집 우편함에 엽서를 넣어둔 것이었다.

아파트에 살 때 같은 층에 여섯 가구가 있었다. 엘리베이터를 함께 타거나 기다릴 때 마주치면 인사를 하며 불편하지 않게 지냈지만, 함께 서로의 집을 드나들며 술 한잔하는 이웃으로 발전하지는 못했다. 주택 살이를 시작할 때 동네에 마음 맞는 비슷한 연령의 이웃이 생겼으면 하고 바랐다. 어릴 때 옆집에 놀러 가고, 음식을 많이 하면 앞집에 나눠드리러 갔던 기억처럼 그렇게 정을 나누며 살고 싶었다. 코로나 때문에 음식을 나눠 먹지는 못하지만 고마움을 나누고 안부를 묻는 이웃이 있어 가슴 따뜻한 새해를 맞이했다.

"봄아, 우리 양띠 친구 가게에 놀러 갈까?"

"응! 너무 좋아, 엄마."

고마운 편지를 받고 그냥 있을 수 없었다. 동네 에그 타르트 맛집에 들러 간식거리를 포장해 갔다.

"어떻게 지내셨어요? 지난번에 손가락 아프다고 하신 건 괜찮아요?"

나와 동갑인 여자 사장님이 잦은 바느질로 손가락이 아파 병원에서 치료를 받고 있다는 얘기를 들은 후 한동안 왕래가 없었다. 이런저런 안부를 주고받다가 내가 물었다.

"여기 이사 오신 지 이제 일 년이 다 되어 가네요. 살아보니 어떠세요?"

"최근에 현관문 결로 때문에 조금 힘들었어요. 중문이 없으면 방한 기능이 있는 현관문으로 시공해야 했는데, 주택에 살아본 경험이 없다 보니 리모델링 때 놓친 부분이 많은 것 같아요."

현관문에 결로가 발생했는데 물방울이 밤새 얼어붙어 현관문이 열리지 않았다는 일을 시작으로 구옥을 리모델링해 1년간 지내며 겪었던 힘든 사연이 이어졌다. 1층이 상가고 2층에서 거주하는데, 2층 베란다에 배수관이 없다 보니 비가 오면 빗물이 계단을 타고 1층으로 내려간다. 그런데 1층에도 물이 빠져나갈 수 있는 배수관이 한 곳밖에 없어 배수가 잘 안 된다고 했다. 바람이 몹시 불던 날, 나뭇잎이 배수관을 막으면서 마당에 물이 차올랐던 것이다. 지난여름 장마가 길어져 그런 문제로 한밤중에 때아닌 노동을 했던 고생담도 풀어놓았다.

"얼마 전에는 오수관이 막혀서 난리가 났어요. 이 집이 원래 변기에서부터 오물이 빠져나가는 곳까지 오수관이 길고 꼬불꼬불하게 시공되어 있었더라고요. 리모델링할 때 오수관 위치를 변경하는 공사를 했으면 좋았을 텐데…. 경험이 없으니 몰랐던 거죠. 아파트에 살 때처럼 변기에 휴지를 넣고 물을 내렸더니 결국 1년 만에 변기가 오물을 토해낸 거예요. 오수관 내시경 전문 업체를 불러 문제가 된 곳을 찾기 위해 드릴로 바닥을 까고, 에휴~."

어쩐지 사장님 눈 밑이 어두웠다. 얼마나 마음고생을 했을지 느껴졌다.

"주택 살이에는 적응이 좀 필요한 것 같아요. 공간을 다양하게 배치할 수 있는 게 주택의 장점이잖아요. 우리 집도 층별로 화장실 위치가 달라요. 그래서 오수 배관이 구불구불하게 4층에서부터 1층까지 내려와요. 반면 아파트는 아래위층 구조가 똑같잖아요. 그래서 오수 배관이 일자로 뚝 떨어질 수 있으니 막히는 일이 덜하죠. 그런 점을 이해하고 나니 불편함이 줄어들었어요. 다름을 이해하고 거기에 맞는 대처 방법을 찾은 거죠. 저도 입주하고 세 계절이 지나고 나서야 비로소 주택 살이에 적응이 되었어요. 집을 멋지게 지으면 처음부터 구름 위를 떠다니는 기분일 것 같지만 그렇지 않았어요. 낯선 환경에 적응하는 동안은 매력을 온전히 느끼지 못했죠. 사장님 그동안 마음고생 많으셨겠어요. 이제 한 사이클 지났으니 앞으로는 좀 더 편해지고 주택 살이에 대한 재미도 많이 느끼게 될 거예요."

"아파트 살 때 신경 쓰지 않았던 문제를 몇 번 겪고 심신이 지친 어느 날이었어요. 남편이 묻더라고요. 다시 아파트로 돌아가자고 하면 이사 갈 거냐고요. 저의 대답은 단호하게 '아니'였어요. 주택이 확실히 아파트보다 신경 쓸 게 많긴 하지만 아파트보다 좋아요."

공방 사장님의 주택 예찬론이 이어졌다.

"남향이라 햇살이 참 잘 들어오는 집이에요. 아침에 일어나 베란다에 나오면 가슴이 탁 트여요. 확실히 아파트에 살 때보다 마음이 여유로운 걸 느껴요. 1층에 사업장을 운영하면서 2층에 거주하는 장점도 많아요. 우선 월세가 따로 나가지 않는다는 거예요. 아파트 살 돈으로 이 집을 사서 리모델링했어요. 아파트에 살며 사업장을 따로 마련했다면 매월 지출되는 비용이 많이 들었을 텐데 그만큼 아낄 수 있어서 좋아요. 또 저희는 가죽 공방이라 망치질할 일이 많은데 단독주택이라 층간 소음 걱정 없이 작업할 수 있고요. 늦은 시간까지 일해도 바로 위층에 주거 공간이 있어 부담이 없어요. 피곤하면 바로 올라가서 자면 되니까요. 사업장이 있는 1층이 본래 주거용 주택이었기 때문에 방이 많아요. 다양한 크기와 형태의 방을 사업장으로 변신시키면 매력적일 것이라고 생각해 이 집을 선택했어요. 방이 네 개, 주방 하나, 거실이 하나 있는 집이었는데, 저희 필요에 맞게 리모델링해서 작업실, 클래스룸, 사무실, 악기실, 쇼룸을 만들었어요. 상업 공간이 아니라 주거 공간이었던 곳을 리모델링했을 때 느낄 수 있는 특유의 매력이 참 좋아요."

• 구옥을 리모델링해 1층에는 사업장, 2층은 주거 공간으로 사용하는 나르준 크래프트 / ©전원속의 내집

• 주택이었던 곳을 공방 쇼룸이자 작업실, 사무실, 취미를 위한 악기실 등으로 리모델링한 모습 / ©전원속의 내집

덧붙여 주위 동네 어르신들이 공사 중에 관심을 많이 가져 주셨다고 한다. 먹거리도 전해 주고 지인까지 데리고 와 우리 동네에 이런 공간이 생겼다며 소개해 주신 일화도 이야기했다. 아파트에 살 때는 느끼지 못한 훈훈한 이웃 간의 정을 느낄 수 있었단다.

내가 동갑 친구와 이야기를 나누는 동안 봄이는 양띠 친구와 고양이와 함께 마당에서 놀고 있었다. 각자의 띠 친구와 다음에 또 만날 것을 기약하고 집으로 돌아왔다.

저녁을 먹고 핸드폰을 보았다. 동갑인 여사장님께 메시지가 와 있었다.

"에그 타르트 참 맛있네요. 잘 먹었어요."

진심을 담아 답장 메시지를 보냈다.

"저희와 함께 봉황동을 잘 지키면서 살기 좋은 동네를 만들어 봐요. 올해는 좀 더 편안한 주택에서의 삶이 되시길 저도 함께 기원할게요. 오래 이웃합시다."

주택이라고 해서 이웃과의 마찰이 없는 것은 아니다. 집을 지을 때 이웃의 민원이 가장 무섭다는 말이 있을 정도다. 수많은 부정적인 경우를 예상한다면 주택이든 아파트든 만족 못하기는 마찬가지이다. 상대적으로 이웃과의 정이 더 많이 남아 있는 주거 형태가 주택이다. 이웃을 잘 만나면 퇴근 이후의 삶이 더 행복해질 수 있는 게 주택 살이의 묘미다. 우리 집 텃밭에서 기른 각종 채소를 바로 솎아서 이웃집 마당에서 함께 고기를 구워 먹는 재미를 느껴보고 싶지 않은가? 캠핑도, 펜션도 필요 없다. 내 집 앞마당이나 옥상이 있으면 얼마든지 가능하다.

#28

삼대가 따로 또 같이 사는 집

이른 아침, 나와 봄이 아빠의 출근 준비가 한창일 때 엄마가 우리 집으로 올라오신다. 봄이는 아직 꿈나라에 있다.

"엄마, 다녀올게요."

"장모님 다녀오겠습니다."

그렇게 집을 나선다. 직장에 도착하면 엄마께 영상 전화를 드린다. 그쯤이면 봄이가 일어난다. 할머니 품에 안겨 편안한 아침을 맞이한 봄이는 기분이 좋다. 애청하는 키즈 채널을 보며 간단히 배를 채우고 9시쯤 어린이집에 등원한다. 이제 곧 일흔인 엄마는 여전히 손이 야무지셔서 봄이 머리를 참 예쁘게 묶어 주신다.

"어휴. 엄마가 장거리 출퇴근하시느라 바쁠 텐데, 아침에 머리까지 이렇게 예쁘게 묶어 주고 가요?"

원장 선생님이 물으신다.

"아니요. 제가 묶은 거예요."

칭찬에 엄마 입꼬리가 올라간다. 머리가 예쁘다니 봄이 얼굴도 수줍게 상기된다. 퇴근하고 집에 도착하면 이미 봄이는 목욕까지 다 하고 저녁을 먹고 있다. 할머니 손맛에 익숙해진 봄이는 햄, 소시지, 돈가스 같은 요즘 아이들 입맛에 맞는 반찬은 별로 좋아하지 않는다. 할머니가 해주시는 된장찌개를 가장 좋아하는 음식으로 꼽는다. 콩나물, 시금치를 좋아하고 미역국도 늘 최고라고 말한다. 고기는 케일이나 깻잎에 싸 먹어야 제맛인 것을 안다. 아무런 간을 하지 않은 생선을 구워 김과 함께 먹는 한 끼도 좋아한다. 가끔 나도 봄이 아빠도 일 때문에 늦는 날이면 할아버지와 퍼즐 맞추기를 하며 시간을 보내기도 한다.

아파트에 살 때는 바로 옆동 1층에 어린이집이 있었다. 그땐 직장이 가까웠지만 봄이를 어린이집에 맡기고 출근하려면 거의 어린이집 문이 열리는 시간에 등원시켜야 했다. 아침도 챙겨 먹이지 못하고 옷만 입혀서 어린이집에 '갖다 드림'하고 정신없이 출근하던 게 일상이었다. 지금은 편도 40㎞로 예전보다 출퇴근 시간이 늘어났지만, 훨씬 여유롭게 하루를 시작하고 있다. 새벽에 일어나 책을 읽고 글을 쓰게 된 것도 출근 전 봄이를 등원시켜야 한다는 부담이 없어진 영향도 있을 터다. 봄이도 잠을 충분히 자고 일어나니 신체 에너지가 높아진 것 같다. 잠이 덜 깬 상태로 기관에 맡겨지는 게 아니라 편안한 집에서 정신과 신체를 먼저 깨운다. 할머니 품에도 실컷 안겨 사랑을 충분히 받고 하루를 시작한다. 그래서인지 몰라도 예전보다 밥도 잘 먹는다. 이 집에 이사 와서 키가 많이 컸다.

3대가 한 건물에 따로 또 같이 사는 것은 봄이 뿐만 아니라 우리 부부에게도 큰 혜택이다. 부모님과 따로 살고 있다면 퇴근 후 식사 준비로 정신이 없을 것이다. 반찬 배달 서비스를 이용하든, 새벽에 배송해주는 밀키트 제품이든 최대한 간단하게 한 끼를 해결했을 일이다.

퇴근길 배에서 꼬르륵 소리가 난다. 3층 우리 집에 가방만 던져두고 2층 엄마 집으로 간다.

"장모님 잘 먹겠습니다."

봄이 아빠는 장모님이 해 주시는 건 무엇이든 맛있다고 한다. 퇴근하고 집에 오면 누군가가 식사를 준비해 기다리고 있다니. 우렁각시도 아니고. 정말 이건 너무 큰 행복이다. 매월 엄마께 용돈을 드리고 있다. 식자재비도 따로 더 챙겨 드린다. 만약 부모님 집에서 식사하지 않고 따로 준비해 매끼를 해결했다면 식비가 훨씬 많이 들었을 것이다. 퇴근 후 저녁 식사를 준비하는 에너지와 식비를 모두 아낄 수 있었다. 내가 직장에 다니면서 스스로의 성장을 위한 다양한 활동을 할 수 있는 것도 결정적으로 부모님과 함께 살면서 육아와 살림의 많은 부분을 도움받고 있기 때문이다.

• 2층 부모님 세대 실내공간 / ©송유섭

부모님과 함께 살기 때문에 부부 사이도 더 좋은 것 같다. 맞벌이 부부라면 육아와 살림을 분담하는 일 때문에 부딪힌 경험이 있을 것이다. 둘 다 연차를 낼 수 없는 상황인데 아이가 아프면 정말 난감하다. 갑자기 야근해야 하는데 남편도 집에 일찍 올 수 없는 상황이라면 보통 내가 어떻게든 해결해야 했다. 할 일을 챙겨 집으로 퇴근한다. 아이에게 만화를 틀어주고 나는 다시 일에 몰두한다. 이런 상황이 반복되고 쌓이다 보면 서로 예민해지기 쉽다. 하루 24시간이 의무로만 채워지면 지칠 수밖에 없다. 하지만 부모님과 함께 살고부터는 가까이서 부모님께 도움을 받을 수 있게 되었다. 부부가 아닌 제3자가 도와줄 수 있는 환경이 육아에 얼마나 큰 도움이 되는지, 아이를 키우고 있는 부부라면 공감할 것이다.

우리 집은 상가주택이기 때문에 주인이 관리해야 하는 공용면적이 단독주택보다 넓다. 주차장, 화단, 계단실이 있다. 상가를 다른 사람에게 세를 준 것이 아니기 때문에 상가와 상가 입구, 상가 뒤편 데크 공간도 모두 우리가 관리해야 한다. 보통 상가주택을 지어 사는 사람들은 주인이 직접 관리를 하거나 매월 청소 업체에 맡긴다. 우리 상가주택의 청소와 화단 식물 관리는 엄마가 해주고 계신다.

"엄마, 건물 청소하는 업체에 주는 만큼 용돈 더 드릴게요."

"아이고 됐다. 딸 집 청소해 주는데 뭘. 그 돈 모아서 봄이한테 필요한 거 사주든가. 너희 생활에 보태 써."

부모님 덕분에 봄이가 정서적으로 안정적이고 행복하게 자라고 있다. 또한 우리 부부도 걱정 없이 사회생활을 하고 있다. 반면 딸과 사위, 손녀와 함께 사는 부모님의 속마음은 어떤지 궁금했다.

"엄마, 우리와 1년 넘게 한집에 살아보니 어때요. 저희는 덕분에 도움을 정말 많이 받고 있는데, 엄마 아빠는 좋은 점 없었어요?"

기대하며 물었다.

"아플 때 가까이 있으니 좋지. 저번에 너희 아빠 입원했을 때

너희가 수시로 병원 드나들며 필요한 것 갖다 드리고 했잖아. 화장품이나 건강 보조 식품 떨어지면 너희들이 살펴보고 바로바로 주문해 주는 것도 고맙고."

"아플 때 말고 평소에는 좋은 점 없어요?"

"좋은 게 왜 또 없겠니. 너희 아빠는 이제 봄이 하루만 못 봐도 허전하다고 하셔. 주말에 이틀 못 봤다고 봄이 데리고 내려오라고 하신 거 봤지. 가끔 말을 안 들어서 힘들 때도 있지만 봄이가 애교가 많아서 웃을 일이 훨씬 많아. 봄이 보는 낙이 제일이지. 그냥 보기만 해도 예쁘잖아. 너희 아빠는 너 어릴 땐 사는 게 바빠서 예쁜 줄 모르고 키웠는데, 이제 나이가 드시니 그렇게 손녀가 예쁜가 봐. 너 어릴 때랑 똑같다며 좋아하셔."

한 번은 밤중에 갑자기 초인종이 울려 일어났다. 엄마였다. 아빠가 한쪽 팔, 다리에 힘이 들어가지 않는다고 했다. 며칠 전에도 그런 증상이 있어 집 근처 병원에서 CT 촬영을 했던 차였다. 전화를 주셨는데 잠이 들어 전화를 못 받자 엄마가 급하게 올라오신 거였다. 봄이 아빠가 장인어른을 지역에서 가장 큰 병원의 응급실로 모셨다. 정밀 검사를 했는데, 다행히 아무 문제가 없었다. 다른 지병 때문에 복용하는 약이 있었다. 그 약의 부작용으로 나타날 수 있는 증상이라고 했다.

"한집에 살고 있으니 전화를 받지 않으면 바로 문을 두드릴 수 있잖아. 우리가 모르고 계속 쿨쿨 잤으면 어쩔 뻔했어. 검사 결과 별문제가 없는 걸 아시게 되었으니 마음 편히 주무실 수 있잖아. 이렇게 급한 문제가 생겼을 때 빨리 대처할 수 있고. 함께 살아서 정말 다행이야."

요즘 TV나 온라인에서 우리 집처럼 3대가 함께 사는 집을 종종 볼 수 있다. 한 공간에 모두가 함께 살면 사실 불편하다. 그래서 단점을 보완해 '따로 또 같이 사는 집'을 추구한다. 거주하는 층을 달리하거나, 아예 출입구까지 다른 집도 보았다. 집을 지어 3대가 함께 살면 주거비용을 아낄 수 있고, 육아에 도움이 된다. 갈수록 나이가 들어가는 부모님을 모실 수도 있다. 미리 단점을 보완하는 장치를 잘 준비하면 삶의 만족도가 훨씬 높아질 수 있다.

봄이 왔다. 사진작가를 섭외해 홈스냅 촬영을 했다. 3대가 함께 사는 이 집에서 3대가 공유할 수 있는 추억을 부지런히 쌓아가야겠다.

#29

새로운 꿈이 생기다

2021년 새해가 밝았다. 봄이 아빠도 30대의 마지막 해를 맞았다.

"봄이 아빠, 들어봐. <맙소사, 마흔>이라는 책을 읽었는데 이런 내용이 있더라. 지금까지 인생은 계속 위로만 올라가는 곡선 같고 아득히 먼 곳에 있는 지평선만 보인 거야. 그런데 어느 순간, 갑자기 언덕 꼭대기에 올라온 느낌이 드는 때가 있대. 꼭대기에서는 내리막만 보이고 길이 끝나는 지점도 시야에 들어온대. 우린 지금 어디쯤 서 있는 것일까. 10년쯤 뒤 우리가 서 있는 그곳이 꼭대기일까? 이 정도가 40년의 느낌이라면, 인생이 참 짧은 것 같아."

갑자기 봄이 아빠가 생각에 잠겼다.

"맞는 말인 것 같아. 꼭대기에 올라가면 지나온 길도 보이고 앞으로 갈 길도 보이겠지. 그래서 나이가 들수록 더 밀도 있게 살게 되는 것 같아."

"그런데 참 우리 많이 컸다. 이런 대화를 나누다니."

봄이 아빠가 상념에서 현실로 돌아온 듯한 표정을 지으며 웃었다.

2017년 가을, 육아휴직을 끝내고 복직한 지 몇 달 지나지 않아 봄이 아빠가 회사를 그만두었다. 그리고 3년이 훌쩍 지났다. 집을 짓고 새집에 입주해 주택 살이에 적응한 시간이었다. 그동안 우리는 어떤 변화를 겪었을까.

주택 살이 여정의 시작점을 만들어 준 사람이 봄이 아빠다. 많은 노력을 쏟아부은 만큼 가장 큰 변화와 성장을 경험했을 것이다.

"봄이 아빠, 집 짓고 살면서 변한 게 많지? 구체적으로 어떤 게 변했어? 봄이 아빠 인생에 어떤 변화가 있었는지 듣고 싶어."

"음. 우선 나는 집을 지어 본 경험, 그 자체로 무척 크게 성장한 것 같아."

봄이 아빠는 본래 무딘 사람이다. 호불호가 강하지 않다. 섬세하지도 않았다. 그래서 결혼 후 가정 내 크고 작은 의사 결정의 90% 이상은 내 뜻대로 한 것 같다. 하지만 집을 짓고 봄이 아빠는 다른 사람이 되었다.

"살면서 단시간에 가장 많은 사람을 만나고, 가장 빈번한 의사 결정을 경험한 시기였어. 의사 결정은 곧 돈과 연결되니까 예민해질 수밖에 없었지. 내가 판단을 잘못하면 건축비가 더 들어. 한 번은 작업 중이던 타일공을 바꾼 적이 있었어. 좋은 자재를 샀는데 작업을 제대로 못 해서 한소리 했더니 다음 날부터 안 나오더라고. 그때 기억나지? 우리 집 3층 욕실 타일 작업할 때 말이야. 결국 재작업하지는 않았지만 욕실에 갈 때마다 눈에 거슬려. 그때 다시 작업했다면 재료비와 인건비가 추가로 들었겠지. 집 짓는 모든 과정이 그런 식이었어. 그러니 의사 결정에 날이 선거야. 판단의 폭포 속에 허우적거릴 수도 없으니 정신을 바짝 차려야 했어. 잘못 판단하면 그 책임은 다 내가 지어야 해. 이런 경험을 하는데 어떻게 사람이 성장하지 않을 수 있겠어. 고용주로서 고용자를 어떻게 대해야 하는지도 배웠고. 인간관계에 대한 대처도 여유가 생기고, 하물며 미적 감각도 생긴 것 같아."

내 생각도 그랬다. 봄이 아빠는 집을 지으면서 계단식으로 성장했다. 완만한 곡선식 성장이 아니라 어느 순간 한 계단을 껑충 올라가 있었다.

집을 짓고 우리가 사는 동네가 더 좋아지길 바라며 1층 상가를 갤러리로 운영했다. 플리마켓을 열기도 했고, 우리 동네의 콘텐츠를 개발하려는 사업에 지원해 콘텐츠 크루가 되기도 했다. 좋은 동네를 만들려고 노력했더니 김해 지역이나 우리 동네에서 문화 사업을 진행 중인 분께 지속적으로 연락이 왔다. 지자체에서 문화 사업을 맡아 달라는 요청이 들어왔고, 함께 문화 사업을 추진해 보자는 사람도 여럿이었다. 또 조언을 구하는 동네 사업주분들도 계셨고, 집을 짓고 싶은 예비 건축주가 미팅을 요청하기도 했다. 우리도 집을 지을 때 낯선 분의 집 문을 두드려본 경험이 있다. 그래서인지 그런 요청에 봄이 아빠는 선뜻 시간을 내주었다. 새로운 사람을 만나면 새로운 일을 경험할 수 있고, 새로운 일은 곧 자신의 성장으로 이어진다고 생각하기 때문에 마다하지 않았다.

"그래서 봄이 아빠는 앞으로 꿈이 뭐야?"

"내 집을 지으며 공간의 가치를 알게 되었잖아. 우리 가족뿐만 아니라 여러 사람이 부가가치를 창출하는 공간을 만들고 싶어. 그래서 대한민국에서 가장 예쁜 디자인의 호텔을 짓고 싶어."

앙드레 말로 Andre Malraux 는 '오랫동안 꿈을 그리는 사람은 마침내 그 꿈을 닮아간다'고 했다. 봄이 아빠는 꿈을 생생하게 그리며 계속 성장 중이다. 우리나라에서 가장 예쁜 디자인 호텔의 오너가 될 봄이 아빠 모습을 나도 함께 그려 본다.

건축주 직영 강의를 들으러 가는 엄마 아빠를 따라 KTX를 처음 타 보았던 세 살 봄이가 이제 일곱 살이 되었다.

"엄마, 나는 아빠가 봄이 집 지을 때 멋있었어."

"왜 멋있다고 생각했어?"

• 비계 위에 올라가 있는 봄이 아빠

"왜냐면 아빠가 높은 곳에서 우리를 보며 손을 흔들어 주었는데, 그때 멋있었어."

'아! 그때 말이구나.'

떠오르는 사진이 있다. 봄이와 가끔 공사 현장을 지나갈 때가 있었다. 위험하기 때문에 현장에 데려가진 않았지만 봄이가 좋아하는 슈퍼에 가려면 공사 현장을 지나야 했다. 인부들은 봄이 아빠가 건축주인 줄은 모르고 현장 소장인 줄만 알았던 때였다.

"건축주라고 하면 작업자들은 내가 최종 결정권자라고 생각하잖아. 그럼 내가 핑계 댈 사람이 없어. 현장 소장이라고 해야 작업하는 사람들과 일하기 편하더라고. 그러니 지나가다가 날 봐도 건축주인 거 티 내지 않는 게 좋을 것 같아. 가능하면 아는 체하지 말고."

그래서 슈퍼를 오갈 때 봄이 아빠가 보여도 그냥 제 갈 길을 갔다. 그런데 그날은 멀리서 우리를 발견한 봄이 아빠가 먼저 손을 흔들었다. 옆에 인부들이 없었던 모양이다.

"봄아, 저기 봐. 저기 손 흔드는 사람이 아빠야."

"어? 아빠가 왜 저기에 있어?"

"응. 저기가 우리 집이야. 아빠가 지금 봄이 집 짓고 계시는 거야."

그때 봄이 눈동자가 반짝였다. 3층 비계 위에 서서 손을 흔들며 자신을 향해 함박웃음을 짓는 아빠가 마치 '슈퍼히어로' 처럼 보였나보다. 나도 왠지 그 모습을 남기고 싶어 사진을 찍어 두었다.

어느 날 어린이집 선생님께 문자가 왔다.

'어머니, 이번 주 활동 주제는 우리 가족입니다. 집에서 찍은 봄이 모습과 가족사진 몇 장 보내주시면 수업에 잘 활용하겠습니다.'

퇴근 후 만난 봄이의 기분이 무척 좋아 보였다.

"봄아, 오늘 어린이집에서 재밌게 놀다 왔어?"

"응. 엄마. 오늘 엄청 기분 좋았다!"

"왜? 무슨 일이야?"

선생님께 보내드린 사진을 큰 TV 화면에 띄우고 한 명씩 발표 시간을 가졌다고 했다. 우리 가족을 소개하고 집에서 찍은 봄이 사진이 화면에 떴는데, 친구들과 선생님이 '우와 봄이 집 멋지다'라며 칭찬했다는 것이다. 그래서 봄이 집은 아빠가 지었다고 했더니 더 놀라워했고, 덕분에 봄이 어깨가 한 뼘은 올라간 듯했다.

손님이 오면 봄이가 먼저 나서 집 곳곳을 소개한다. TV로 보여준 적도 없는데, 마치 집방 프로그램 진행자처럼 이야기하는 모습에 깜짝 놀라기도 했다.

"집 소개 연습시키는 거 아니에요?"

웃으며 이렇게 말하는 손님도 있었다.

갤러리에 작품이 전시되면 봄이를 꼭 데리고 내려가 작품을 보여주었다. '작가님'과 '작품', 그리고 '갤러리'라는 말을 자주 썼더니 봄이에게도 낯설지 않은 용어가 되었다. 엄마와 아빠가 작가님과 인터뷰하는 모습을 옆에서 지켜본 적이 있었다. 조용히 앉아 있기로 거듭 약속을 하고 데리고 갔지만 결국 인터뷰 영상 촬영 때 침묵을 견디지 못하고 참견을 했다. 덕분에 영상 촬영 시간은 길어졌으나, 이런 경험이 봄이에게 좋은 영향을 끼쳤다. 이후 봄이는 갤러리에 새 작품이 들어오면 큰 관심을 가지게 되었다. 작가님을 만나보고 싶다고도 했다. 작가님을 만나면 '이건 왜 이렇게 그렸어요?'라며 솔직하고 당당하게 질문을 던진다. 작가님들은 꼬마의 직설적인 질문에 잠시 당황하면서도 친절하게 설명해 주었다.

"엄마, 봄이 작품도 갤러리에 전시했으면 좋겠어."

"지금 갤러리에 작품 전시 중이라서 안 되겠는데, 봄이 작품은 우리 집 거실에 전시하면 어때?"

"그래 좋아. 대신 봄이 크면 갤러리에 진짜 전시해 줘."

집 벽에 그림을 붙이는 것과 갤러리에 전시하는 것이 다른 느낌과 의미라는 걸 아는 듯했다.

"봄아, 봄이는 커서 어떤 사람이 되고 싶어?"

"응 엄마. 봄이는 그림 그리고 글 쓰는 아이돌 작가가 되고 싶어."

"응? 왜 그런 사람이 되고 싶어?"

"그림 그리는 게 좋고 엄마처럼 봄이도 책을 만드니까 작가잖아. 그리고 난 아이돌 언니들이 좋아. 예쁜 언니들처럼 춤추고 노래하는 아이돌이 될 거야. 그래서 아이돌 작가야."

일곱 살 아이의 꿈치고는 정형화되지 않은 편이라고 해석한다면 부모의 착각일까. 틀에 갇힌 아파트에서 탈출하길 잘했다는 생각이 들었다. 엄마는 아이의 우주라고 했다. 봄이가 더 크고 행복한 꿈을 꿀 수 있도록 더 넓은 세상을 보여주고 싶다.

봄이 아빠만큼은 아니지만 나도 집을 짓고 주택에 살며 삶의 경험이 풍부해졌다. 어느 정도 주택 살이에 적응이 되고 보니 뭔가 새로운 분야에 도전해 보고 싶다는 생각이 들었다. '집짓기'로 책을 쓰고 싶었다. 평생 한 번 해볼까 말까 한 귀한 경험을 그냥 잊히도록 두고 싶지 않았다.

'그런데 책을 어떻게 쓰지? 내가 책을 쓸 수 있을까?'

방법을 몰랐다. MBC PD이자 베스트셀러 작가인 김민식 님의 <매일 아침 써봤니> 영향을 받았다. 책 속에 소개된 책 <작가의 수지>에 이런 말이 있었다. '어떻게 쓸까'가 아니라 '어쨌든 쓴다'라는 것이 중요하다는 것이다. 그래서 '어쨌든' 쓰기로 했다. 매일 새벽 4시 반에 일어나 글을 썼다. 그리고 책을 읽었다. 깜깜한 시간에 홀로 일어나 책을 읽는다. 주방 동편 창 사이로 햇살이 들어온다. 햇살을 느끼며 커피를 한 잔 내린다. 커피를 마시며 글을 쓴다. 글을 다 쓰면 7시가 조금 넘는다. 재빠르게 출근 준비를 하고 집을 나선다. 출근 전 2시간이 조금 넘는 시간을 내 성장의 자양분으로 썼다. 책에서 만난 성공한 사람들은 한결같이 새벽 시간을 잘 활용했다. 그렇게 내가 만든 주말 아침 독서모임은 네 명으로 시작해 어느덧 열세 명이 되었다. 들어오고 싶어 줄을 선 사람도 있지만 소수 정예로 운영하고 있다.

책을 읽고 매일 글을 쓰던 어느 날이었다. 중정에 앉아 강헌구 님의 <가슴 뛰는 삶>이라는 책을 읽고 있었다. 그동안 읽은 여러 책의 메시지가 이 책과 연결되며 머릿속의 마지막 퍼즐이 완성된 느낌이 들었다.

'그래, 이거였어!'

막연했던 꿈이 확실해졌다. 나를 가슴 뛰게 하는 단 하나를 찾았다. 바로 글쓰기였다. 그동안 블로그에 매일 책을 읽고 책에서 깨달은 점을 바탕으로 사람들에게 '행운'을 주겠다는 목적의 글을 쓰고 있었다. 책이 나 자신을 경영했고, 그 깨달음을 여러 사람에게 나누는 글을 썼다. 독서 경영가이자 작가라면 100살까지도 가슴 설레할 수 있겠다는 생각이 들었다.

'그 시작이 집짓기였어. 집으로 책을 쓰겠다는 생각에서 모든 게 시작되었어. 그래. 첫 책은 집 이야기로 쓰자. 집을 지으며 설렜던 시간, 힘들었던 일, 극복한 지혜, 주택 살이의 즐거움과 우리의 성장을 책에 담아내자. 그렇게 작가의 삶을 시작하는 거야.'

책을 쓰기 시작했다. 매일 새벽 책을 읽고 글을 쓰기 시작한 지 1년쯤 되었을 때, 출판사에 투고했다. 똑같이 주어지는 24시간을 어떻게 쓰는지, 어떤 공간에서 머무는지, 어떤 사람을 만나는지가 인생에 큰 영향을 줄 수 있다는 말을 확신하게 되었다. 오늘도 우리는 각자의 꿈과 우리 가족 모두의 꿈을 향해 한 발씩 걸음을 옮기고 있었다.

"나의 집짓기, 베스트 VS 워스트"

상가주택을 지어 1년 반을 살면서 느낀 점을 바탕으로 베스트 선택과 워스트 선택을 정리해 보았다. 상대적인 기준이기 때문에 내가 뽑은 베스트가 누군가에게는 워스트가 될 수도 있다. 장단점을 알고 자신의 삶의 방식에 맞게 선택하면 좋을 것 같다.

베스트 선택

01 아이를 위한 전용 놀이 공간 만들기

주택을 설계하며 아이만의 특별한 공간을 꼭 만들어 주고 싶었다. 처음에는 3층에서 4층으로 올라가는 계단실에 미끄럼틀을 넣어주려고 했으나 여러 제약 때문에 실현하지 못했다. 4층 바닥 일부를 뻥 뚫어 그물 침대를 만들어볼까도 구상했다. 구름 위에 떠 있는 기분일 것 같았다. 하지만 안전을 중요시하는 봄이 엄마가 싫다고 했다. 중정 데크에 숨겨둔 모래놀이 공간 덕분에 집콕 시기에 집안에서 흙놀이를 할 수 있었다.

02 넓을수록 좋은 창고 공간

주택은 집주인이 주택 관리사가 되어야 한다. 간단한 집수리 도구를 이용할 수 있으면 좋다. 여분의 페인트를 보관해 둘 장소도 필요하다. 계단 아래 데드스페이스를 창고로 만들면 좋다. 보일러실도 창고가 될 수 있다. 단 페인트는 인화성 물질이기 때문에 보일러실에 두지 않는 게 좋다.

03 리모컨으로 개폐되는 주인 세대 전용 주차장

아파트에 살 때 지하 3층까지 주차장이 나뉘어 있어서 전날 어디에 주차했는지 기억이 나지 않아 3개 층을 헤매기도 했다. 지금은 언제든 주차할 수 있는 자리가 마련되어 있어 마음이 편하다. 주차장에 자동 오버헤드 도어를 달아두니 여러모로 좋다. 차를 안전하게 보관할 수 있고, 추위나 더위를 피할 수 있다.

04 폴리카보네이트 시공은 신중하게

2층 부모님 세대 거실에 설치한 폴리카보네이트는 베스트다. 폴리카보네이트가 거실 한쪽 벽면을 채우고 있어 외부로부터 시선을 차단하면서도 채광을 누릴 수 있다는 장점이 있다. 폴리카보네이트 사이로 은은하게 들어오는 햇빛 때문에 집이 항상 밝고 사진을 찍으면 컬러감이 좋다. 겨울에도 따뜻하다. 여름에는 상대적으로 좀 덥기는 하지만, 거실이 작아서 에어컨을 조금만 틀어도 금방 시원해진다.

05 층고 높은 거실

세입자 세대 포함 모든 층이 일반 아파트보다 층고가 높다. 특히 3층 거실은 층고가 약 5.5m다. 높은 거실창 사이로 들어오는 햇살과 파란 하늘을 보고 있으면 절로 힐링이 된다. 높은 층고 때문에 물론 불편한 점도 있다. 실링팬에 쌓인 먼지를 닦는 게 쉽지 않고, 커튼 세탁은 미해결 상태다. 하지만 장점이 단점을 상쇄하고도 남는다.

워스트 선택

01 침실에는 부적합한 폴리카보네이트

폴리카보네이트의 단점은 소음 차단 능력이 콘크리트 벽보다 현저하게 떨어진다는 것이다. 기온에 따른 수축, 팽창 때문에 가끔 '탁'하는 소리가 나기도 한다. 그래서 숙면을 취해야 하는 침실에는 폴리카보네이트 패널을 사용하지 않는 게 좋다. 3층 침실 위 공간이 옥상이다. 옥상에서 내려오는 복사열과 폴리카보네이트 패널로 들어오는 햇빛이 더해져 여름에는 에어컨을 켜지 않고는 머물 수가 없다.

02 무엇을 위한 조경인지 생각할 것

3층에는 바깥에서 바라볼 때 집의 남측 미관을 위해 만들어 둔 베란다 공간이 있다 본문 159쪽 사진 참조. 좁은 공간이지만 그곳에 식물을 심기 위한 베이스 작업에 큰 노력을 쏟았다. 그런데 정작 집 안에서는 보이지 않는다. 물을 좋아하는 율마를 심어 신경을 써야 하는데, 없는 것보다는 확실히 있는 게 미관상 더 예쁘긴 하다. 돋보이는 미관을 원한다면 신경이 덜 쓰이는 것을 심는 게 좋을 것 같다. 미관상 큰 차이가 아니라면 아예 심지 않는 게 나을 수 있다. 자칫 근심을 심었다는 생각이 들 수도 있다.

03 미닫이보다는 여닫이형 방문으로

건물 전체에 미닫이 방문이 많다. 공간 활용도가 높은 것은 장점이다. 반면, 단점은 시공이 까다롭고 가격이 더 비싸며, 하자 발생률이 높다는 것이다. 그래도 기성품으로 시공하는 것은 좀 낫다. 맞춤식 미닫이문은 더 어렵다. 우리 집처럼 층고가 높으면 문을 맞춰야 한다. 공간이 다 좁은 편이라 어쩔 수 없는 선택이었다. 공간이 여유가 있다면 되도록 여닫이문을 시공할 것을 권한다.

04 특별한 시공일수록 높아지는 하자 위험

3층은 무문틀 시공을 했다. 문틀을 없애면 숨은 경첩을 사용해야 한다. 우리 집 문은 기성품보다 키가 높아서 좀 더 고가의 경첩을 이용하는 게 안정적이었다. 경첩만 개당 10만 원이고 문 하나 시공할 때 3개의 경첩이 필요했다. 그래서 일반적인 숨은 경첩으로 시공했다. 결과는 대실패였다. 문을 여닫을 때 삐걱거리는 소리가 나고 완전히 닫히지 않는다. 좀 더 평범한 시공을 했더라면 하자가 발생하지 않았을 것이다. 디자인의 엣지가 조금 떨어지더라도 하자 발생이 적은 쪽으로 선택하는 게 좋을 듯하다.

05 두 개 층이라면 층별 공간 계획에 신중할 것

3층에 가족 공동 공간과 침실을 배치하고, 4층을 아이 놀이방으로 배치한 점이 가장 후회된다. 4층에 아이가 좀처럼 혼자 올라가지 않는다.

지금은 문이 없이 뻥 뚫려 있는데, 아이가 초등학생이 되면 가벽을 치고 방을 만들어 줄 생각이었다. 그런데 혼자 올라가지도 않는 4층에서 과연 혼자 잠을 잘까 걱정이다. 처음부터 3층 전체를 가족 공동 공간으로 설계하고 4층에 침실 두 개를 배치했더라면 활용도가 훨씬 좋았을 것 같다. 그래서 올해 리모델링 계획을 세웠다. 3층 침실을 멀티룸으로 사용하고 4층에 방 두 개를 만드는 작업이다. 공간이 넓지 않기 때문에 채광과 환기, 가구 사이즈를 고려해 공간 설계를 잘해야 할 것 같다. 집을 지은 지 2년밖에 안 된 시점에 공사를 하려니 마음이 쓰리지만 장기적인 삶의 만족도를 위해 조금 더 돈을 쓰기로 했다.

06 원피스형보다는 일반 투피스형 변기로

원피스형 변기는 일반 투피스형 변기보다 예쁘고 비싸다. 그런데 수압이 약해 자주 막히는 단점이 있다. 집의 미관을 해치는 물건을 두지 않으려고 했다. 그래서 변기 뚫는 도구를 사지 않았는데 휴지를 변기에 넣지 않는데도 자주 막혀서 결국 하나 구비했다. 변기를 자주 뚫어주더라도 예쁜 게 좋다면 원피스형 변기를 선택하자. 예쁜 것보다 실용성을 추구한다면 일반 변기를 선택하는 게 낫다. 다시 시공한다면 일반 변기를 설치할 것이다.

봄이아빠 이야기 06

"좋은 임차인을 만나려면 좋은 임대인이 되자"

임대인이라면 누구나 좋은 임차인을 만나고 싶어 한다. 월세를 미루지 않고, 집을 깨끗하게 써주길 바란다. 좋은 임차인을 만나는 가장 쉬운 방법은 '내가 좋은 임대인'이 되는 것이다. 내가 산다고 생각하고 공간을 바라보자. 그럼 무엇을 보완해야 할지 눈에 보인다.

구옥이라면 창호 단열과 누수 방지에 힘써야 한다. 오래된 창호를 교체하면 집이 훨씬 따뜻하고 깔끔해 보인다. 누수가 생기면 '임차인이 알아서 하겠지'라고 생각하면 안 된다. 불편함을 느낀 임차인은 나갈 것이고, 다시 새 임차인을 구하기도 어렵다. 누수가 있다면 리모델링 때 반드시 해결해야 한다. 뒤늦게 누수가 발견되었더라도 '내가 저곳에서 산다면 얼마나 불편할까' 하는 마음으로 신속하게 수습해 주어야 한다. 보일러는 오래되면 고장이 나기가 쉽다. 지금 당장은 가동이 잘 되더라도 10년이 넘었다면 리모델링을 하면서 새 보일러로 교체하는 게 낫다. 참고로 창호와 보일러 교체 비용은 양도세 계산 시 경비 처리가 되기 때문에 임차인과 임대인 모두 좋다.

겨울철 동파가 예상되는 배관이 있는지 미리 점검해 보아야 한다. 단열 처리가 되어 있지 않았다면 미리 보온재를 씌우거나 동파 방지 열선을 설치할 수 있다. 수도 계량기가 노후되었다면 지자체 수도과에 전화해 계량기 교체 시기가 언제인지 알아보자. 새 수도 계량기는 동파되지 않도록 스티로폼 보온재 등을 넣어 설치한다. 아직 계량기 교체 시기가 아닐 경우, 동파 방지팩을 넣어달라고 요청하면 보통 신청 당일 처리해 준다. 한편, 각 세대 변기에서 오수관까지 배관이 너무 길거나 구불구불해 잦은 변기 막힘이 예상된다면 리모델링 때 배관 위치를 이동시키면 좋다.

마지막으로 세입자가 입주하기 전 각 가구에 '웰컴 보드'를 비치한다. 나는 보통 '안녕하세요. 봄스테이에 입주하신 것을 환영합니다'로 시작해서 '더 좋은 보금자리를 마련해 나가실 때까지 따뜻한 곳이 되길 바랍니다'로 끝내며 임차인을 응원하는 마음을 전한다. 웰컴 보드에는 주로 공동 주택 생활의 에티켓을 담는다. 분리수거 쓰레기를 버리는 날, 버리는 장소, 음식물 쓰레기 버리는 장소 등을 안내한다. 또 공동생활에서 타인이 불편함을 느낄 수 있는 부분을 조심스럽게 언급하고 예 : 흡연, 애완동물 기르기, 층간·옆집 간 소음 등 배려와 이해를 구한다.

요즘 코로나 때문에 예전보다 집에서 머무는 시간이 길어졌다. 옆집에서 늦은 시간까지 술을 마시고 떠들어 밤새 잠을 못 잤다며 하소연하는 임차인이 있었다. 얼마나 불편했을지 알 것 같아 우선 '잠을 못 자서 피곤하실 텐데 커피부터 한 잔 드세요'라며 커피 기프티콘을 보내드렸다. 그리고 옆집 분께 연락을 드려보겠다고 했다. 그런데 내가 연락하기 전 불편을 느낀 임차인이 직접 옆집 임차인을 만나 대화로 잘 해결했다며 신경 써주셔서 감사하다는 말을 전했다.

주택을 지어 살고 싶지만 엄두가 나지 않는다면 구옥을 매입해 신경 써서 리모델링을 해보자. 임대 수입에 관심이 있다면 앞서 소개한 사례를 참고해 다가구 주택을 선택하자. 마당이 있는 주택 살이를 하면서 세를 놓을 수도 있다. 하나둘 경험이 쌓이면 이제 내 기호를 담아 집을 지어 살고 싶다는 생각이 들 것이다.

'주택은 몇 년이 지나도 집값이 거의 그대로잖아. 아파트를 산 친구는 1년 만에 몇억이 올랐다는데. 주택에는 살고 싶고, 부동산 시세 차익도 누리고 싶고. 이것 참 고민이네.'

혹시 이런 생각이 든다면 주택에 거주하면서 아파트에 투자하면 된다. 앞서 언급했듯이 다가구 주택을 사면 리모델링까지 해도 아파트 한 채를 사는 것보다 적은 돈이 든다. 아파트를 선택했을 때보다 여유 자금이 생길 것이다. 그럼 그 자금으로 아파트에 투자하면 된다. 사고를 유연하게 하면 다양한 길이 보인다. 세상에 정답은 없다.

우리가 다시 집을 짓는다면

한 소년이 있다.

소년이 사는 그곳은 10월 말이면 첫눈이 내린다. 그리고 매일 눈이 내린다. 눈이 녹기도 전에 또 눈이 내린다. 새하얀 눈은 소나무를 제외한 모든 초록을 다 소멸시킨다. 그곳은 '겨울왕국'이다. 전기도 들어오지 않는 칠흑 같은 겨울을 보내던 어느 날, 마을에 전기가 들어왔다. 어른들이 어느 부잣집에 가면 '텔레비전'을 볼 수 있다는 이야기를 하고 있었다. 깊고 긴 겨울을 보낼 수 있는 재미있는 놀잇거리가 생긴 것이다. 10원을 내고 텔레비전 앞에 앉았다. 서양 사람들이 나오는 영화가 방영 중이었다. 소년은 그때 처음으로 벽난로를 보았다.

'아궁이가 집 안에 있다니!'

벽에서 빨갛게 활활 타오르는 모닥불은 마치 생명을 가진

듯 살아 움직이는 것 같았다. 추운 겨울 몸을 녹이려는 가족들이 벽난로 앞에 모여 앉아 있고, 따뜻한 차를 마시며 대화를 나누는 모습은 우리네 가족과 너무 다른 모습이었다.

시간이 흘러 소년은 30대가 되었다. 사업을 구상하던 중 소년 시절에 본 영화 속 벽난로가 떠올랐다. 곧장 서점으로 달려가 벽난로에 대한 책을 찾아보았다. 책을 사서 집으로 돌아와 열심히 읽었다. 책을 읽고 이해한 내용을 바탕으로 미니어처 종이 벽난로를 직접 제작했다. 성냥을 땔감 삼아 불을 피웠다. 대성공이었다. 자신감을 얻은 그는 곧바로 간판을 걸었다.

'전통 유럽식 벽난로 전문점'

놀랍게도 간판을 보고 연락이 왔다. 그는 실전 경험이 전무했다. 하지만 전통 유럽식 벽난로의 제작 원리를 100퍼센트 이해했기 때문에 자신감을 가지고 벽난로를 제작했다. 첫 점화 날 의뢰인에게 삼겹살을 준비하라고 했다. 벽난로가 완벽하게 제작되었다면 벽난로에서 삼겹살을 구워도 그 냄새가 집 안으로 퍼지지 않기 때문이었다. 그때를 그는 이렇게 회상했다.

"무슨 용기였는지 모르겠어요. 점화하는 날 의뢰인 가족들을 모두 부르고 심지어 제 가족도 데리고 갔어요."

대성공이었다. 그는 전통 유럽식 벽난로에 대해 이렇게 이야기했다.

"벽난로는 유럽 가정의 심장과 같아요. 원리가 제대로 적용

된 벽난로는 공기 정화 기능을 합니다. 하루 종일 벽난로를 켜 두었을 때 7회 정도 집안의 공기를 순환시켜 줍니다. 벽난로를 겨울에만 사용한다고 생각하는데요. 장마철에도 유용해요. 습기로 눅눅한 날 벽난로에 불을 붙이면 집안이 뽀송뽀송해지는 소리가 들려요. 벽난로가 없는 전원주택은 완전한 주택이 아니라고 생각합니다. 전원주택의 필수품이에요."

우리 동네에 벽난로의 원리로 만든 화덕에 피자를 구워내는 레스토랑이 있다. 사장님의 초대로 레스토랑에서 몇몇 이웃과 식사를 함께 한 날이었다. 사장님의 어린 시절 겨울과 벽난로 이야기에 푹 빠진 봄이 아빠와 나는 벽난로 예비 고객이 되었다. 이제 나는 전통 유럽식 벽난로가 있는 단독주택에서의 불멍을 꿈꾼다.

집을 지어 주택에 산 지 2년이 다 되어 간다. 집을 지을 때 참 힘들었다. 이렇게 힘든 줄 알았다면 아마 짓지 않았을지 모른다. 내 인생에 집짓기는 이번이 처음이자 마지막이라고 생각했다. 시간이 조금 흘렀다. 당시의 힘든 마음을 조금씩 잊어가고 있다. 첫 집의 장단점이 눈에 들어오니 다음엔 좀 더 좋은 집을 짓고 싶은 욕심이 생겼다. 아이를 낳은 직후에는 너무 힘들어 두 번 다시 아이를 낳지 않겠다고 굳게 다짐한다. 하지만 아이를 키우다 보면 힘든 것보다 예쁘고 사랑하는 마음이 더 커서 아이를 낳을 때의 고통을 잊고 슬며시 둘째 생각이 나기도 한다. 집짓기가 딱 그런 것 같다.

가끔 관리해야 할 것이 많은 주택 생활이 지칠 때가 있다. 그럴 때마다 봄이 아빠와 웃으며 이렇게 말하곤 한다.

"이래서 사람들이 아파트를 선호하는 건가?"

자연스럽게 아파트에 사는 우리 가족을 그려 본다. 이내 결론이 나온다. 우리는 다시 아파트로 돌아가지 않을 것이다. 내가 원하는 대로 공간을 구현해서 사는 기쁨과 가치를 알게 되었기 때문이다. 아파트에 살면 지금보다 편리하겠지만 공간 변형의 한계로 지금보다 만족하지 못할 게 분명하다.

우리가 다시 집을 짓는다면 더욱더 우리 삶을 충실히 담기 위해 고민할 것이다. 이야기가 있는 집을 짓고 싶다. 집 구석구석 우리 가족의 취향과 사연을 담고 싶다. 벽난로를 놓고 겨울이면 벽난로 가까이 모여 앉아 가족, 지인들과 두런두런 이야기를 나누고 싶다.

마당이 있는 단독주택이면 좋겠다. 조금 손이 가더라도 나무와 잔디를 심고 싶다. 벽난로가 있는 거실 전면에 마당이 훤히 보이는 큰 창을 설치해 늘 초록을 바라보며 살고 싶다. 마당에서 독서 모임을 하거나 마음 맞는 이웃과 바비큐 파티를 하며 주말의 여유를 즐기고 싶다. 그땐 비슷한 규모의 단독주택이 많은 택지 개발 지구나 전원주택 단지에 집을 지을 것 같다.

다양한 층고가 있는 집을 짓고 싶다. 어떤 공간은 층고가 지금 집처럼 아주 높고, 또 어떤 공간은 벙커 느낌이 나도록 하고 싶다. 집 곳곳에 자신만의 동굴이 있으면 좋겠다. 힘들고 지칠 때 에너지를 얻을 수 있는 가족 개개인의 동굴이 마련되도록 고민할 것이다.

1층에 마당이 있으니 옥상은 없는 게 나을 것 같다. 마당도 있고, 옥상도 있으면 관리 범위가 너무 넓어진다. 옥상이 없으면 지붕은 박공 형태로 하는 게 좋을 것 같다. 경사진 지붕에 태양광 시설을 설치해 에너지 효율도 높이면 좋겠다. 옥상은 없지만 2층에 테라스를 만들어 조금 더 높은 곳에서 동네를 조망하고 싶다. 1층은 가족 공동생활 공간으로, 2층은 침실이 배치되도록 할 것이다. 이렇게 구획하면 1층을 더 넓게 활용할 수 있다. 손님이 오면 주로 1층에 머물게 되니 잠을 자는 아늑한 공간이 외부인에게 노출되는 빈도를 최소화할 수 있다.

박공지붕을 하면 다락이 생긴다. 다락 일부에 천창을 내고 싶다. 여름에는 무척 더울 테니 에어컨 설치는 필수다. 비가 오는 날 다락에 누워 하늘에서 내려오는 비를 바라보고 싶다. 깜깜한 밤 창 사이로 달이 보이면 금상첨화겠다. 불멍과 함께 달멍도 할 수 있는 집을 꿈꾼다. 손님이 오면 다락방에서 하루 자고 갈 수 있도록 아늑하게 꾸밀 것이다.

무루 작가의 <이상하고 자유로운 할머니가 되고 싶어>에서 이런 문장을 만났다.

"평생 아파트에서만 살았던 아이가 자라서 가지게 되는 꿈

은 아파트로부터 얼마나 멀어질 수 있을까. 언젠가 시 쓰기 강연에서 김용택 시인이 확신에 차서 했던 그 말이 아무래도 맞는 모양이다. '아스팔트를 밟고 자란 아이는 시인이 될 수 없다'는."

시인은 아니더라도, 봄이가 시인과 같은 관찰력과 공감 능력을 가진 사람으로 자라면 좋겠다. 큰 꿈을 꾸며 자유롭게 살았으면 한다. 집은 유명한 브랜드에, 특정 동네에 위치해야 가치 있는 게 아니다. 어떤 생각으로 지었고, 어떤 삶이 담겨 있는지가 중요하다. 삶의 한 시기라도 나의 가치관이 담긴 집을 지어 살아보길 바란다.

'한 번뿐인 인생인데, 한 번의 인생 내내 똑같이 생긴 아파트에 살다 간다면 너무 아쉽지 않은가.'

Thanks to

행운의봄 : 봄이를 돌봐 주시고, 같은 건물 2층에 따로 또 같이 살며 많은 도움을 주고 계신 부모님께 제일 먼저 감사 인사를 드립니다. 초고를 검토해준 대학 선후배이자 동료 교사인 연숙이, 주영 언니! 부족한 글 읽고 무한한 칭찬 보내줘서 호랑이 기운이 났어요. 고맙습니다. 매일 블로그에 발행하는 글을 읽어주신 이웃님들 덕분에 첫 책이 나오게 되었어요. 꿈을 지지해 주시는 이웃님들이 제게 행운입니다.

봄이아빠 : 집 지을 때 멘토 역할을 해주신 박창희 사장님이 없었더라면 집을 완성할 수 있었을지 모르겠습니다. 집으로 만난 가장 큰 행운이었습니다. 공오스튜디오 정소장님, 이소장님과 함께한 것도 정말 감사했습니다. 더불어 두 소장님을 소개시켜 준 친구 승환이, 묻지도 따지지도 않고 급한 돈을 빌려준 근영이에게도 고마움을 전하고 싶습니다. 양가 부모님 고맙습니다. 건강하세요.

오래된 동네, 젊은 부부의 상가주택 마련기

꿈세권에 집을 짓다

초판 1쇄 발행 | 2021년 7월 28일

저자	행운의봄 · 봄이아빠
발행인	이 심
편집인	임병기
편집	조고은 · 신기영 · 조재희 · 손준우
교정	이세정
사진	변종석 · 공오스튜디오 · 저자 제공
도면	공오스튜디오
디자인	유정화
표지 일러스트	임경은
마케팅	서병찬
총판	장성진
관리	이미경
인쇄	북스
출력	삼보프로세스
용지	영은페이퍼㈜
발행처	㈜주택문화사
출판등록번호	제13-177호
주소	서울시 강서구 강서로 466 우리벤처타운 6층
전화	02-2664-7114
팩스	02-2662-0847
홈페이지	www.uujj.co.kr

정가 15,000원 | ISBN 978-89-6603-063-7